OBRAS MAESTRAS
DEL MUSEO BRITÁNICO

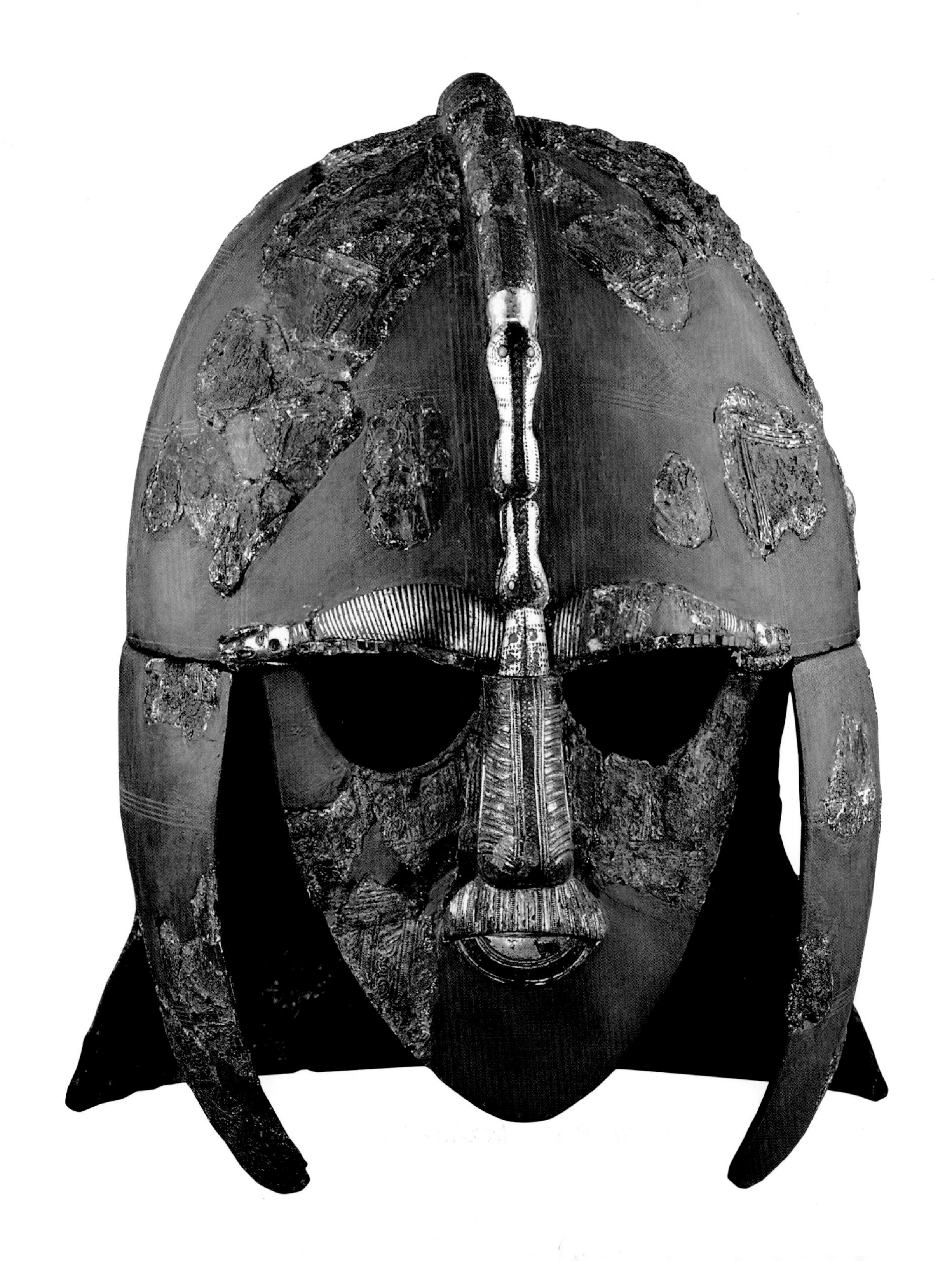

OBRAS MAESTRAS
DEL MUSEO BRITÁNICO

Editado por J.D. Hill

THE BRITISH MUSEUM PRESS

Primera publicación en 2009 de The British Museum Press
Traducción publicada por primera vez en 2012
Una división de The British Museum Company Ltd.
38 Russell Square, Londres WC1B 3QQ
britishmuseum.org/publishing
En la Biblioteca Británica hay disponible una ficha de catalogación de este libro
Reimpresión 2014, 2015
ISBN 978-0-7141-5104-5

Fotografía del Departamento de Fotografía e Imagen del Museo Británico
Diseño y composición en Minion por John Hawkins Design
Impreso y encuadernado en China por C&C Offset Printing Co. Ltd.
Traducción de Elena Ureña Escobar en asociación con First Edition Translations Ltd., Cambridge (RU)

ANTEPORTADA *de izquiera a derecha*: sarcófago de momia (véase p. 144); pieza de ajedrez Lewis (véase p. 90); Tara (véase p. 39)
FRONTIS: yelmo de Sutton Hoo (véase p. 95)
PORTADA: *bi* de Jade (véase p. 264)
PÁGINA SIGUIENTE: ayudante de un Juez del Infierno (véase p. 153)

Visite por Internet las colecciones del Museo Británico en britishmuseum.org

Tabla de contenidos

Prefacio del director

¿QUÉ ES UNA OBRA MAESTRA? Este libro presenta 250 objetos destacados de la vasta colección del Museo Británico. Algunos de ellos, como la Piedra de Rosetta, las imágenes de los faraones egipcios o el yelmo de Sutton Hoo, se conocen en el mundo entero y constituyen la atracción principal para la gran mayoría de visitantes del Museo. Se incluyen también obras de artistas famosos, como Picasso, Leonardo da Vinci y Miguel Ángel, estatuas griegas y romanas y exponentes del arte chino e indio. Pero además, esta selección de obras maestras contiene muchos otros artefactos que le sorprenderá, e incluso extrañará, ver en ella. ¿Es realmente una obra maestra un pedazo de roca gris? La explicación de por qué este libro empieza con dicha roca lleva intrínseco el sentido y la finalidad del Museo Británico.

Desde hace 250 años, las puertas del Museo Británico están abiertas al público de forma gratuita, para que todo el mundo pueda recorrer la historia de la humanidad a través de los objetos que han creado los diferentes pueblos de todos los rincones del planeta, desde los albores de la cultura humana hasta el siglo XXI. Comprenden desde obras de arte hasta utensilios de cocina y herramientas cotidianas. Permiten al visitante investigar la trayectoria artística de una cultura o un periodo en concreto, su historia sociopolítica o los aspectos prácticos de la vida cotidiana. En este sentido, aunque entre las obras maestras que se muestran aquí se incluyen objetos de gran mérito artístico, muchos elaborados en materiales preciosos, cuya creación requirió tiempo

Piedra de Rosetta

y maestría, la importancia de otros radica en su valor como vestigios que nos permiten explorar nuestro pasado.

Para este libro hubo que elegir 250 objetos de entre las decenas de miles que los cinco millones anuales de visitantes pueden contemplar en nuestras galerías. El Británico es principalmente un museo sobre el mundo y para el mundo, por eso resulta fundamental que quienes no residen en Londres tengan ocasión de admirar las colecciones que en él se exponen. Por lo tanto, las obras maestras se suelen ceder a exposiciones de otros museos del Reino Unido y del mundo entero. También es posible que algunas piezas no estén expuestas mientras reciben cuidados o bien se encuentren en fase de estudio. El Museo existe para ampliar nuestra comprensión de las culturas humanas y, para la conservación e investigación de los objetos que contiene, cuenta con la participación de unos 150 expertos conservadores y especialistas. Otros diez mil investigadores, académicos y estudiantes vienen cada año a analizar los artefactos del Museo. Además, nuestro personal colabora también con otros centros en expediciones y excavaciones por el mundo entero. Los objetos más frágiles del Museo se exponen únicamente durante un tiempo limitado, sobre todo para protegerlos de los efectos perjudiciales de la luz. Por suerte, sus imágenes e informaciones siempre están gratuitamente a disposición de todos aquellos que tengan acceso a Internet (britishmuseum.org).

Imagen satírica del antiguo Egipto, con más de 3.000 años de antigüedad

Al reunir objetos del mundo entero y diferentes épocas históricas, el Museo nos permite investigar lo que divide y lo que une a los pueblos. Este libro habría podido estructurarse en capítulos típicos, llamados por ejemplo Egipto, China, India o Europa. Sin embargo, hemos optado por que los objetos de distintas épocas y lugares se interrelacionen de tal manera que dejen patente la amplitud de las colecciones del Museo y nos animen a pensar, disentir, quizás a torcer el gesto, e incluso a sonreír. Hemos decidido agrupar los artefactos de forma que ilustren grandes temas comunes que resuenan en toda la historia humana, como el uso de objetos para representar a los dioses o para legitimar una autoridad política. Otros capítulos reúnen objetos asociados a actividades cotidianas, como comer y beber, e imágenes que muestran cómo un mismo animal, real o mitológico, se ha visto en el pasado de formas distintas o muy similares. Al señalar los contrastes y similitudes entre los objetos, bien creados con miles de años de diferencia o en el mismo periodo pero en culturas diferentes, el Museo puede suscitar el debate y demostrar una y otra vez no sólo la imperecedera interconexión del mundo, sino, por encima de todo, nuestra humanidad común.

Hacha de piedra

ESTA HACHA DE MANO, y otras similares se cuentan entre los objetos de más antigüedad que posee el Museo Británico. Este tipo de utensilios líticos, elaborados hace unos dos millones de años, son los artefactos más antiguos que nos han llegado de los creados por nuestros ancestros humanos. Dan testimonio de los albores de la tecnología y del uso de lo que nos hace humanos. Son la prueba no sólo de que la especie humana proviene de África, sino también de que la cultura humana surgió en África.

Este canto tallado procede del yacimiento de un primitivo campamento humano que descubrió Louis Leakey en la garganta de Olduvai (Tanzania). En su elaboración se usó una piedra a modo de martillo, para tallar un canto de basalto (roca volcánica) por ambos lados hasta conseguir una punta afilada. El filo se formó mediante una secuencia de golpes deliberados y diestros, con una fuerza más o menos uniforme, lo que demuestra que se trata de un artefacto creado a propósito y no una formación casual. Esta herramienta se podía utilizar en muchas actividades, como cortar ramas de los árboles, cortar la carne de animales grandes o machacar huesos para extraer el tuétano, parte esencial de la dieta del hombre primitivo.

De la garganta de Olduvai (Tanzania), Paleolítico inferior, hace aproximadamente 1,8 millones de años
Altura 8,7 cm

El Anatsui (*n.* 1944): *Tejido de tapones de botella*

ESTA ESCULTURA es uno de los objetos de más reciente elaboración que se pueden encontrar en el Museo Británico. A los visitantes les sorprende a menudo que el Museo exponga artefactos de nuestra época, no sólo del pasado, y coleccione obras de arte contemporáneas. Se trata de una pieza de gran tamaño, elaborada con tapones de botella reciclados, obra del escultor nacido en Ghana El Anatsui. El artista emplea métodos y materiales modernos para crear objetos tradicionales, que se convierten en poderosos transmisores de mensajes sociales. El pueblo de Ghana lleva siglos produciendo tejidos kente, unos paños de algodón entretejido o tiras de seda, con estampados que simbolizan la condición social de quien los viste. Esta escultura se asemeja a los paños tradicionales kente que llevan los hombres ghaneses, pero en realidad está hecha con tapones de botella, para que fomente la reflexión sobre cómo el consumismo amenaza la supervivencia de estas tradiciones ancestrales.

De Ghana, 2002 d. C.
Altura 297 cm

Alberto Durero (1471–1528): *Rinoceronte*

TANTO ESTE RINOCERONTE como los elefantes de la página siguiente los crearon artistas que jamás habían visto dichos animales en carne y hueso. El creador del grabado en madera del rinoceronte, Alberto Durero, es bien conocido. No sabemos quién creó los elefantes. Este famoso grabado surgió como consecuencia del desembarco en Lisboa, el 20 de mayo de 1515, de un rinoceronte de la India, un obsequio al rey de Portugal.

Una descripción del rinoceronte llegó muy pronto hasta Durero en Núremberg, posiblemente en bocetos, a partir de los cuales preparó su grabado. No se trata de una representación fiel del animal, sino de un producto de la imaginación del artista, pero resultó tan convincente que, durante 300 años, los ilustradores europeos se inspiraron en esta imagen, a pesar de que ya habían visto rinocerontes reales, sin caparazones ni escamas. Se convirtió en la encarnación de cómo imaginaba la gente un rinoceronte, en parte por la fama de Durero y su reconocimiento como artista. Este grabado es uno de los más famosos entre el más de un millón de grabados y dibujos del mundo entero que conserva el Museo Británico.

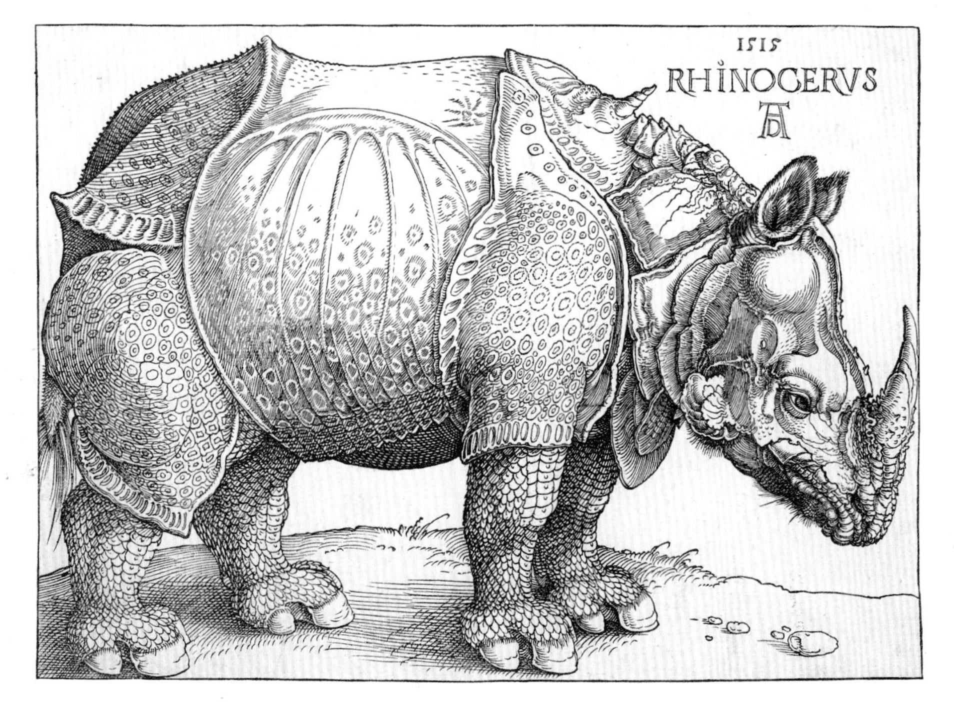

De Alemania, 1515 d. C.
Altura 24,8 cm
Obsequio de William Mitchell

Pareja de elefantes de porcelana

Estos elefantes de porcelana se crearon en Japón para que adornaran las repisas de las chimeneas de los hogares europeos, a medio mundo de distancia. Como muchos objetos del Museo Británico, estos exóticos elefantes pertenecen a la historia de los complejos lazos de unión entre los diferentes rincones del mundo, que a lo largo de los siglos han propiciado la circulación de ideas, objetos y personas. Elaborados hace más de 300 años, cuando estos animales no se habían visto todavía en Japón, posiblemente se inspiraron en imágenes de elefantes procesionales de la India.

Los artesanos japoneses crearon muchas miniaturas de animales, como perros, gatos, ciervos, jabalíes o caballos, para su venta en Europa como adornos. Estos elefantes se decoraron con esmaltes de vidrio pulverizado al estilo *Kakiemon*, que consiste en aplicar un vidrio blanco opaco sobre la cerámica para otorgar a la pieza un exquisito fondo blanco lechoso (*nigoshide*), en el que resalta enormemente el color de las decoraciones de esmalte. Rojos, verdes, azules y amarillos eran los colores más usados.

De Japón, periodo Edo, finales del siglo XVII d. C.
Altura 35,5 cm
Colección Garner

Hans Holbein el Joven (1497/8–1543): *Retrato de una dama inglesa*

El Museo Británico contiene miles de imágenes de personas pertenecientes a una gran variedad de culturas y periodos históricos. Pocos, sin embargo, son retratos auténticos que muestren el aspecto real de una persona. La identidad de la mujer que dibujó el artista Hans Holbein se desconoce, aunque probablemente fuera una dama de la corte del rey inglés Enrique VIII (r. 1509–47). Está dibujada con tiza roja y negra, y con toques del color de la piel para enfatizar sus rasgos. Holbein usó tinta negra en la punta de un pincel para destacar el borde de la cofia y los rasgos faciales. Las cejas y pestañas son especialmente delicadas. El papel original se preparó con un fondo rosa claro, lo que sugiere el tono del cutis de la modelo. Sin embargo, en un momento dado, el dibujo se recortó y se colocó sobre una hoja de papel diferente, de manera que actualmente la figura aparece silueteada.

De Inglaterra, mediados de la década de 1530 d. C.
Altura 27,6 cm
Donado por George Salting

Máscara funeraria dorada

Los antiguos egipcios colocaban máscaras a las momias para proteger la cara del muerto y como sustitución de la cabeza momificada, en caso de que se extraviara o resultara dañada. Los egipcios creían que el espíritu (*ba*) sobrevivía a la muerte y podía abandonar la tumba, pero debía reconocer su cuerpo para regresar a él. Por eso resulta extraño que las máscaras de las momias no sean más realistas y presenten rasgos idealizados, como en este ejemplo.

Esta máscara se elaboró con capas de lino y un fino revestimiento de escayola (cartonaje), que a continuación se pintaba o doraba. El empleo del oro se relaciona con la creencia de que el cuerpo del dios del sol, Ra, con el cual la momia aspiraba a reunirse, era de oro puro. En este ejemplar, la cinta del pelo lleva inscrito un texto funerario y, en la coronilla, la máscara lleva un escarabajo alado, asociado al dios del sol.

De Egipto, finales del siglo I a. C. – principios del siglo I d. C.
Altura 44 cm

Carta náutica (*mattang*)

ESTE ARMAZÓN DE CAÑAS y conchas es un mapa que servía a los navegantes para orientarse por una zona del océano Pacífico. Lo usaban los habitantes de las Islas Marshall, en Micronesia, cuyo territorio se encuentra esparcido por varios cientos de kilómetros en el océano. Para el éxito de la navegación era vital poseer un profundo conocimiento de los vientos, mareas, corrientes, parámetros de las olas y las marejadas. Este mapa no se portaba en una travesía. En realidad se creó para formar a aquellos que deseaban convertirse en marinos y se empleaba como ayuda mnemotécnica antes de zarpar.

Elaborados con cañas anudadas unas con otras y conocidos popularmente como "mapas de caña", representan la situación de las islas, junto con las marejadas y parámetros de las olas que las circundan. Las cañas horizontales y verticales forman un armazón, donde las cañas diagonales y curvadas representan las marejadas, y las pequeñas conchas indican la posición de las islas.

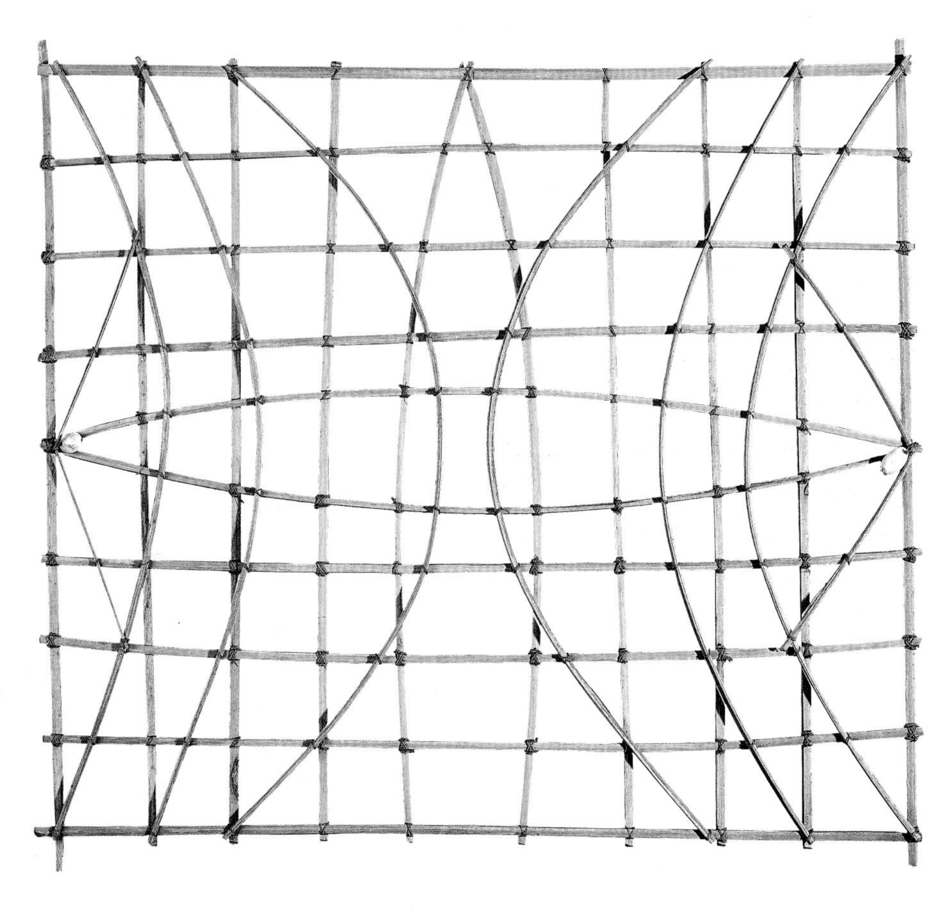

De las Islas Marshall (Micronesia), siglo XIX o principios del XX d. C.
Longitud 75,5 cm
Obsequio de la Sra. H.G. Beasley

Astrolabio Sloane

ESTE OBJETO, BELLO Y COMPLEJO, es un astrolabio. Se usaba para navegar, pues calcula la latitud, pero también para determinar la hora exacta (día y noche) y para elaborar horóscopos. Los astrolabios llegaron a Europa en la Edad Media procedentes del mundo islámico.

Este astrolabio en concreto se podía usar además para calcular las fiestas del calendario cristiano. Tres de los santos cuyas festividades se calculaban con él guardan estrecha relación con Inglaterra: Dunstano (celebrado el 19 de mayo), Agustín de Canterbury (26 de mayo) y Edmundo (20 de noviembre). Estos santos y el hecho de que Londres sea el único lugar mencionado en las placas de latitud sugieren que el astrolabio está fabricado en Inglaterra. Se trata de uno de los tres astrolabios que pertenecieron a sir Hans Sloane, cuya colección conforma la base del Museo Británico.

De Inglaterra, alrededor de 1300 d. C.
Diámetro 46 cm
Donado por sir Hans Sloane

John Constable (1776–1837): *Stonehenge*

La forma en la que diferentes artistas representan un lugar en concreto dice tanto de la época y la cultura en la que vivió el autor como del lugar en cuestión. El gran monumento prehistórico de Stonehenge no es una excepción. Estas dos imágenes de Stonehenge son obra de dos artistas famosos, uno inglés y el otro japonés.

John Constable visitó Stonehenge en 1820, donde realizó un boceto que más tarde desarrolló en un gran cuadro. Esta acuarela sobre tiza negra constituye una etapa intermedia del proceso y contiene una cuadrícula para transferirla a un lienzo mayor. El cuadro definitivo (actualmente en el Museo Victoria y Alberto de Londres) incluye un apéndice en el título: "el misterioso monumento..., que se yergue remoto sobre un brezal desnudo e infinito, tan alejado de los hechos del pasado como de los usos del presente, te remonta más allá de la historia hasta la oscuridad de una época totalmente ignota".

De Wiltshire (Inglaterra), 1820–35 d. C.
Altura 16,8 cm
Obsequio de Isabel Constable

Urushibara Mokuchu (Yoshijiro) (1888–1953): *Stonehenge a la luz de la luna*

ESTE PAISAJE DE STONEHENGE es obra del artista japonés Urushibara. Especialista en xilografías, llegó a Londres procedente de Tokio para participar en una exposición de grabados japoneses. Se quedó en Inglaterra enseñando técnicas de xilografía en color y ejerció gran influencia en muchos artistas europeos.

Las obras de Urushibara solían ser bodegones (*kacho-e*), especialmente de flores, aunque también pintó paisajes ingleses e italianos. Esta estampa en color de Stonehenge bajo la luz de la luna, de un grabado en madera, formaba parte de una pareja (la otra sobre Stonehenge de día) da las muchas impresas a partir de los mismos bloques de madera (*betsuzuri*). Esta escena posee un taco matriz adicional para la luna, mientras que los paisajes diurnos tienen el añadido de un pastor y su perro arreando las ovejas en el fondo, y una bandada de pájaros en el cielo. La combinación de la técnica japonesa y el patrimonio artístico de Urushibara otorgan un aspecto peculiar a estas vistas de Stonehenge.

De Inglaterra, mediados del siglo XX d. C.
Altura 24,8 cm.
Anchura 37,4 cm
Obsequio del profesor Luke Herrmann

Crucifixión de Cristo

Se trata de una de las representaciones más antiguas de la crucifixión en el arte cristiano de las que se tiene noticia. Se talló en Roma hacia 420–30 d. C., durante la época de la fragmentación del Imperio Romano en Europa occidental. La tabla formaba parte de un grupo de cuatro paneles, originalmente engastados en los extremos de un pequeño cofre de marfil, con una escena de la pasión de Cristo en cada uno de ellos.

En esta imagen de la crucifixión aparece otra escena de muerte: el suicidio del apóstol Judas tras su traición a Jesús. El cuerpo de Judas, rígido y totalmente vestido, cuelga de la rama de un árbol, y una bolsa volcada llena de monedas yace a sus pies. Por el contrario, las extremidades desnudas de Cristo aparecen todavía llenas de vigor, mientras mira directamente a quien lo contempla, triunfante en la muerte. La placa situada sobre la cabeza de Cristo reza REX IUD (Rey de los judíos). La Virgen María y Juan el Bautista se encuentran a la izquierda de la cruz, y a la derecha Longino surge de la parte posterior del brazo de la cruz.

Elaborado probablemente en Roma, 420–30 d. C.
Altura 7,5 cm

Rembrandt van Rijn (1606–69): *Las tres cruces*

El Museo Británico alberga muchas imágenes de la Crucifixión del arte cristiano procedentes del mundo entero. Este ejemplar es además una de las obras maestras más soberbias del artista holandés Rembrandt como estampador. El grabado de punta seca ilustra el momento de la muerte de Cristo, cuando "toda la región quedó en tinieblas" (Marcos 15:33). Un foco de luz sobrenatural inunda la escena alrededor de la cruz. Las sombras negras llenan los cuatro rincones, y las figuras que huyen en primer plano están perfiladas contra la claridad.

Rembrandt imprimió tantas estampas con la placa de cobre original que usó para producir éste que la superficie se le gastó. Entonces volvió a grabar la placa otras tres veces, de forma que existen cuatro versiones distintas o "estados" de esta imagen. Por este motivo, en el cuarto y último estado, alteró drásticamente la superficie hasta conseguir una imagen muy diferente. Los extraordinarios efectos pictóricos que logró con el cuarto estado dejaron estupefactos a sus contemporáneos y, desde entonces, no tienen rival.

De los Países Bajos, firmado y fechado en 1653 d. C.
Altura 38,7 cm

Rollo de las admoniciones

Este rollo, una de las pinturas sobre seda más antiguas que conservamos, procede de China, y destaca como la pintura china más importante que existe en el Museo. Ilustra el poema titulado *Admoniciones de la instructora de las damas de la corte*, que exponía el código ético de las damas de la corte imperial. La pintura es probablemente una copia del original, efectuada a finales del siglo V o en el VI por el gran pintor figurativo chino Gu Kaizhi (hacia 344–406 d. C.), famoso por su habilidad para capturar el espíritu de lo representado.

La importancia de esta pintura estriba también en las personas que la poseyeron. Se encontraba en la colección del emperador Huizong de la dinastía Song del Norte (r. 1101–25), y posee una inscripción del emperador Zhangzong de la dinastía Jin (r. 1189–1208). Durante las dinastía Yuan y Ming pasó por diversas manos privadas hasta que, en la dinastía Qing, formó parte de la colección del emperador Qianlong (r. 1736–95).

Pintado en China, hacia el siglo VI d. C.
Altura 25 cm

Cofre Franks

CUANDO SE DESCUBRIÓ en el siglo XIX, este magnífico cofre rectangular de hueso de ballena se usaba como costurero en un hogar de Auzon (Francia). En algún momento de su misteriosa historia se desmontó, y uno de los paneles laterales se separó del resto de la caja. Esta pieza se donó al Museo Nazionale del Bargello, de Florencia.

Las tallas del cofre narran episodios de leyendas germánicas (Weland el herrero), cristianas (la adoración de los Magos) y del mundo clásico (Rómulo y Remo amamantándose de la loba). Lleva inscripciones anglosajonas en letras rúnicas. El estilo de las tallas y el dialecto de las inscripciones indican que se elaboró en el norte de Inglaterra y dan buena muestra de la cultura internacional que floreció allí en el siglo VIII d. C. Se conoce con el nombre de cofre Franks en honor a sir Augustus Franks, quien lo donó al Museo.

De Northumbria (Inglaterra) primera mitad del siglo VIII d. C.
Altura 10,9 cm
Donación de sir A.W. Franks

Talla en piedra de calcita

ESTA PEQUEÑA TALLA es una de las imágenes humanas más antiguas que posee el Museo Británico. Tiene unos 10.000 años de antigüedad y se talló en una piedra de calcita, cuya forma natural se aprovechó para representar el contorno de una pareja de amantes. Cabezas, brazos y piernas aparecen como zonas en relieve, alrededor de las cuales se ha silueteado la superficie con un puntero o cincel de piedra. Los brazos de la figura ligeramente mayor abrazan los hombros de la otra, y las rodillas están dobladas por debajo de las piernas de la figura más pequeña. Se trata además de una imagen fálica cuando se observa desde todos los ángulos.

Esta pieza se talló cuando los pobladores de la región de Ain Sakhri empezaban a domesticar ovejas y cabras, y dejaron de subsistir principalmente de la caza de animales salvajes. Posiblemente la escultura tenía un significado especial en aquella época y puede que representara ideas sobre la fertilidad o bien expusiera una nueva concepción de la parte que correspondía a los hombres en la reproducción.

Probablemente de la cueva de Ain Sakhri, en Wadi Khareitoun (Judea), hacia 8000 a. C.
Altura 10,2 cm

Copa Warren

Esta copa romana de plata está decorada con escenas homoeróticas. Los romanos concebían la sexualidad de forma muy diferente a la actual y, en la sociedad griega, las relaciones entre hombres mayores y muchachos constituían uno de los aspectos de la pedagogía. Las representaciones de actos sexuales se encuentran muy difundidas en el arte romano, en vasijas de vidrio y cerámica, en lámparas de terracota y en pinturas murales de edificios públicos y privados. Hombres y mujeres de todas las edades y condiciones sociales veían habitualmente dichas imágenes.

La copa lleva el nombre de su primer propietario en la época moderna, el apasionado coleccionista de arte Edward Perry Warren (1860–1928). Tras la muerte de Warren, la copa siguió en manos privadas, sobre todo debido a las características de su tema. En la década de 1980, coincidiendo con un cambio de actitud hacia estas cuestiones, la copa se mostró al público por primera vez. En 1999, el Museo Británico consiguió brindar a este importante objeto un hogar permanente en la esfera pública.

Posiblemente de Bittir (antigua Bethther), cerca de Jerusalén, romana, mediados del siglo I d. C. Altura 11 cm
Adquirida con la ayuda de varios miembros de Caryatids (el grupo de internacional de amigos del Departamento de Grecia y Roma), y la financiación del Fondo para el Patrimonio de la Lotería, Art Fund y los Amigos del Museo Británico.

Tambor de estilo asante

ESTE TAMBOR SE ELABORÓ al estilo del pueblo asante de Ghana (África occidental), pero se encontró en Virginia, por entonces colonia inglesa en Norteamérica, alrededor de 1730–45 d. C. Se trata de uno de los objetos afroamericanos más antiguos de los que se tienen noticia, probablemente llevado al Nuevo Mundo en el trayecto intermedio de una travesía del comercio de esclavos. En el primer trayecto se transportaban mercancías de Gran Bretaña a África, en el segundo se llevaban esclavos de África a las colonias americanas, y en el tercero se acarreaban productos comerciales de América a Gran Bretaña.

El tambor está hecho de madera autóctona africana, fibra vegetal y piel de ciervo. Se desconoce quién lo llevo a América. Posiblemente su dueño fue un oficial o el capitán de un barco británico, y no un africano. Lo recogió el reverendo Clerk en nombre de sir Hans Sloane, cuya colección conformó la base fundacional del Museo Británico.

Elaborado en África occidental, encontrado en Virginia, 1730–45 d. C.
Altura 40 cm

"AZÚCAR DE LAS INDIAS ORIENTALES, producida sin ESCLAVOS"

ESTE AZUCARERO DE CRISTAL AZUL representa además un ejemplo de propaganda política de la Gran Bretaña de principios del siglo XIX. El azucarero pertenece a una caja de té que también contenía compartimentos para té (sin fermentar) negro y verde. El cuenco lleva inscritas en letras doradas las palabras "EAST INDIA SUGAR not made by SLAVES" ('AZÚCAR DE LAS INDIAS ORIENTALES, producida sin ESCLAVOS').

La campaña por la abolición de la esclavitud comenzó a finales del siglo XVIII. Quienes la apoyaban exigían el boicot del azúcar procedente de las plantaciones de esclavos de las Indias Occidentales, para la que se encontraron fuentes alternativas en Europa, en la industria emergente de la remolacha azucarera, y en la caña de azúcar de Mauricio (océano Índico). Los mercaderes de azúcar de las Indias Orientales aprovecharon el boicot para comercializar su azúcar como producida sin el uso de esclavos. Su afirmación era más una estratagema publicitaria que un gesto de ayuda humanitaria, puesto que las condiciones en las plantaciones de las Indias Orientales no eran mucho mejores que las del Caribe.

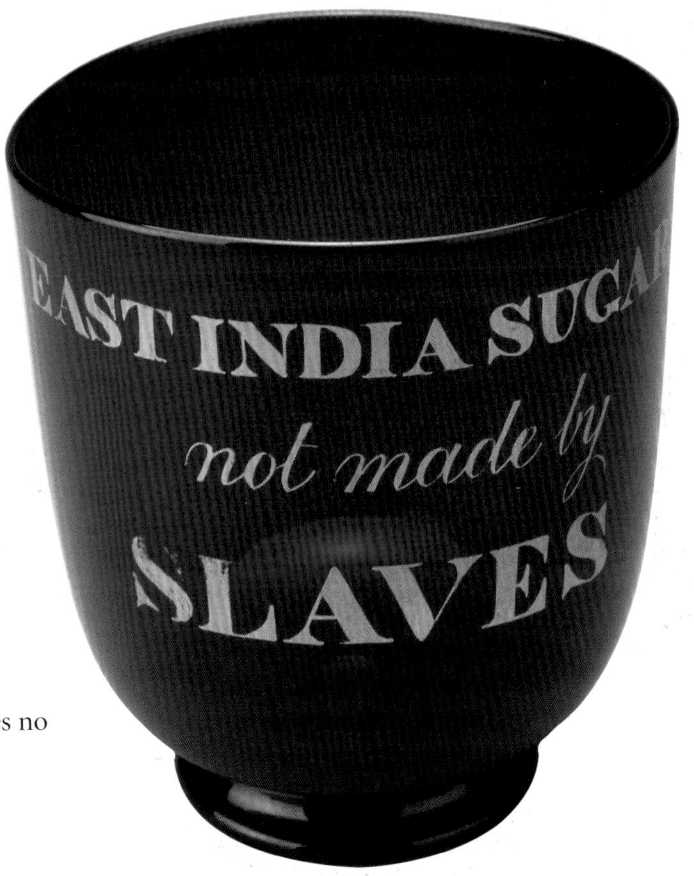

De Bristol (Inglaterra), hacia 1800–30 d. C.
Altura 11 cm

Aguamanil asante

ESTE AGUAMANIL DE BRONCE se fabricó en Inglaterra durante el reinado de Ricardo II (1377–99) y se descubrió en 1896 en el reino de Asante, en la costa occidental de África. La jarra lleva en la parte frontal el escudo real de Inglaterra, y cada cara de la tapadera contiene un león y un venado. Estos símbolos fechan la jarra en los últimos nueve años del reinado de Ricardo, cuando el rey adoptó la insignia de la corza blanca.

En Kumasi, la capital del reino de Asante, se encontraron junto con este ejemplar otras dos jarras inglesas de bronce del mismo periodo. Puede que las tres procedieran de la casa real de Ricardo II. Se ignora cómo llegaron a la costa occidental de África, pero en la Edad Media existía un comercio importante entre África occidental y el oeste de Europa, a través del desierto del Sahara.

Elaborada en Inglaterra, hacia 1390–1400 d. C.
Encontrada en el reino de Asante (actual Ghana), África occidental
Altura aprox. 62 cm

Cabeza de latón con corona de cuentas y penacho

ESTOS OBJETOS REVELAN aspectos diferentes de las culturas y la historia de África occidental del siglo XII al XV. Esta asombrosa escultura representa a un soberano (*oni*) de Ife, la capital del estado del pueblo Yoruba, a orillas del río Níger, en el sudoeste de Nigeria. La cabeza se usó probablemente en ceremonias funerarias y posiblemente se encontraba unida a una figura de madera. Ife era uno de los diversos estados e imperios poderosos de África occidental durante aquel periodo.

El arte de Ife es único en África, pues representa a los humanos con un realismo casi de retratista. A menudo se ha comparado con las tradiciones naturalistas europeas, como las de la antigua Grecia y Roma, y se llegó a aventurar que esas tradiciones hubieran ejercido su influencia en el arte de Ife. De hecho, no existió conexión histórica alguna con ninguna cultura europea. Actualmente, la escultura de Ife sigue considerada merecidamente uno de los logros más excelsos del arte y la cultura africana.

Yoruba, de Ife (Nigeria), probablemente siglo XII–XIV d. C.
Altura 36 cm

Pimentero "Emperatriz" del tesoro de Hoxne

La pimienta y las especias se valoran y comercializan desde hace miles de años. Este pimentero romano, de plata con dorados, es uno de los cuatro encontrados en tesoro de Hoxne, el más rico jamás descubierto en Gran Bretaña.

La pimienta se cultivaba en la India y llegaba al mundo romano por mar, a través del océano Índico, de la India a Egipto, junto con otras especias y artículos de lujo. Los *piperatoria*, contenedores especiales para esta especia tan cara, son hallazgos muy escasos. Este ejemplar tiene la forma de un busto, en plata y hueco, de una dama del periodo romano tardío, probablemente una imagen imperial genérica, en lugar de un retrato de una emperatriz en concreto. El pimentero cuenta con un disco en la base que se puede situar en tres posiciones: una cerrada, otra con una gran abertura para que se rellene de pimienta molida, y una tercera que deja al descubierto grupos de agujeritos para espolvorear.

De Hoxne, Suffolk, enterrado en el siglo V d. C.
Altura 10,3 cm
Tesoro oculto, adquirido con la ayuda de ingentes aportaciones por parte de National Heritage Memorial Fund, Art Fund, J. Paul Getty Trust, Amigos del Museo Británico, Goldsmiths Charitable Trust, Lloyds Private Banking y muchas donaciones de particulares.

Salero de marfil

ESTE SALERO DE MARFIL profusamente decorado constituye una prueba de los diferentes vínculos comerciales entre Europa y África occidental que se establecieron unos mil años después de que se usara el pimentero de la página anterior. En el siglo XVI adornaba la mesa de una familia rica europea. Las tallas representan a cuatro europeos, probablemente portugueses, alrededor de la base. En la tapa, en un barco, hay una quinta figura con un telescopio en la mano.

Este salero, creado en el reino de Benín, en África occidental, específicamente para mercaderes portugueses, señala el principio de un contacto y un comercio directos entre el oeste de Europa y África occidental. Los portugueses apreciaban enormemente las tallas de marfil. Aunque tradicionalmente los objetos en marfil se producían exclusivamente para la corte real de la ciudad de Benín, el rey permitió que se elaboraran saleros, cuernos, cucharas y tenedores ornamentados para los visitantes europeos.

De Benín (Nigeria), siglo XVI d. C.
Altura 30 cm

Escena de un papiro satírico

ESTA IMAGEN SATÍRICA procede de un documento con 3.000 años de antigüedad, pintado en Egipto durante la XX dinastía (hacia 1186–1069 a. C.). Se trata de uno de los varios papiros fragmentarios que posiblemente se encontraron en el yacimiento de Deir el-Medina. Estos papiros conforman una colección excepcional de obras artísticas que satirizaron la sociedad durante los reinados de los últimos ramésidas. Las escenas son parodias que muestran a animales llevando a cabo actividades humanas.

El comportamiento natural de los animales elegidos se expresa de manera que consiga un efecto satírico, pues, en una inversión del orden natural, resultan especialmente inadecuados para las actividades humanas que llevan a cabo. Por ejemplo, se ve a un gato arreando ocas o patos, y a zorras o chacales de guardianes de rebaños, posiblemente de cabras. A la izquierda, un león y un antílope, o gacela, mantienen una partida de un juego de mesa, quizás el popular *senet* egipcio.

Posiblemente de Deir el-Medina, Tebas (Egipto), finales del Imperio Nuevo, hacia 1100 a. C.
Altura 15,5 cm

James Gillray (1756–1815): *Los horrores prometidos de la invasión francesa -o- Contundentes razones para negociar una paz regicida*

El Museo Británico alberga una de las mayores colecciones de grabados del mundo. Algunos de los más famosos son sátiras políticas y estampas de la época de la Revolución Francesa y las guerras posteriores contra Napoleón. En este ejemplar, James Gillray presenta, como en una pesadilla, una visión de los soldados franceses en Londres tras la invasión francesa de Gran Bretaña. El grabado data de 1796, después de la campaña relámpago de Napoleón Bonaparte por el norte de Italia, cuando Gran Bretaña estaba considerando firmar la paz con Francia. En él se ataca a los seguidores de una de las dos principales facciones políticas de Gran Bretaña en aquellos momentos, los Whigs, y los muestra apoyando a los invasores extranjeros, lanzando los sombreros al aire y ovacionándolos fuera de su sede central, el Club de Brooks. En el centro de la escena, el líder Whig, Charles James Fox, azota al primer ministro, el conservador William Pitt. A muchos les sorprenderá saber que el Museo Británico colecciona una amplia variedad de objetos relacionados con la política y sigue adquiriendo ejemplares modernos.

Publicado en Londres, 1796 d. C.
Altura 32,4 cm

1 Visiones de la divinidad

Por todo el museo se pueden contemplar imágenes de dioses, diosas, santos y figuras de mitos y textos religiosos de prácticamente todas las culturas del mundo. Comprenden desde grandes obras de arte hasta sencillos artefactos artesanos, creaciones cuya elaboración habrá durado meses u objetos baratos y producidos en masa para la devoción diaria. Esta plétora de pinturas, estatuas y objetos sagrados indica la importancia capital que la religión tiene en la vida humana desde hace como mínimo 40.000 años. Puede que entre las obras de arte más antiguas jamás creadas (y las más antiguas del Museo) se cuenten las imágenes míticas destinadas a la ceremonia y el ritual. A lo largo de la historia, el impulso religioso ha llevado a los pueblos a crear representaciones de la divinidad para muchas y diferentes finalidades. Algunas estatuas e imágenes constituían el centro del culto, mientras que otras servían de recipiente para una deidad o incluso podían encarnar la divinidad misma y, en ocasiones, convertirse en ella. Otras imágenes no estaban destinadas al culto, sino que se crearon como vehículo para transmitir mitos y narraciones importantes de una religión, o incluso simplemente como objetos artísticos y decorativos.

Además de imágenes de dioses y seres divinos, las colecciones del Museo contienen muchos objetos usados en rituales y ceremonias religiosas, como las hachas votivas olmecas, o bien para contener objetos de veneración, como los relicarios budistas y cristianos, o a modo de recuerdo para peregrinos o ayuda en los viajes religiosos. Algunos de los objetos más voluminosos que contiene el Museo son imágenes religiosas procedentes de China y la Isla de Pascua. El tamaño de estas estatuas revela físicamente el papel que la religión desempeña en las vidas de los pueblos, y muestra además cómo se usaban las imágenes religiosas para manifestar el poder de un grupo o exhibir la riqueza de un individuo.

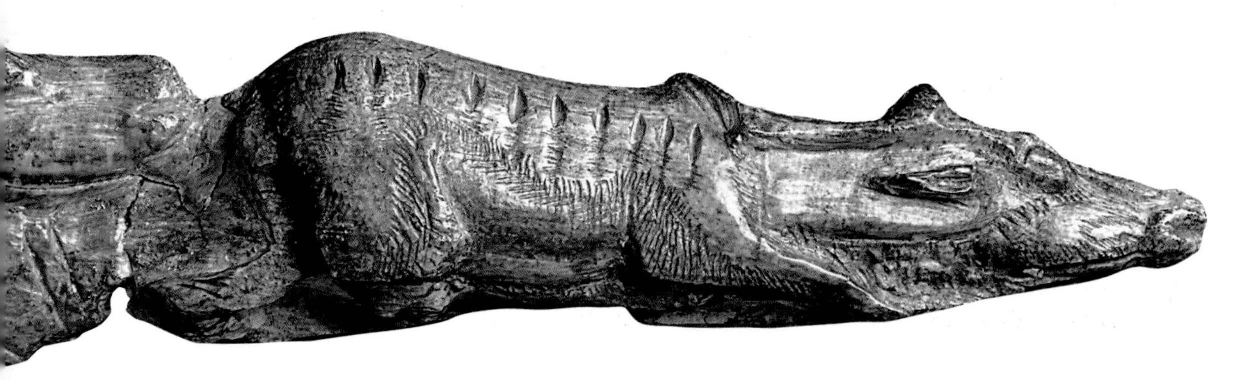

Una de las obras de arte más antiguas del Museo Británico, posiblemente una imagen de un mito arcaico

Los objetos de este capítulo nos permiten comparar y contrastar las maneras en las que diversas culturas y religiones han concebido el aspecto de la divinidad, mediante imágenes de manifestaciones de lo divino que abarcan temporalmente 4.000 años y físicamente el mundo entero. Entre ellas figuran dioses y diosas de la antigua Grecia y Roma, Babilonia y México, junto con deidades hindúes, budas, santos y ángeles cristianos, y divinidades del Pacífico y Norteamérica. Lógicamente, se aprecian diferencias importantes entre ellas, pero también similitudes, como el antropomorfismo generalizado. Sin embargo, aunque el Museo contiene multitud de imágenes de dioses, diosas y otros seres divinos, se impone recordar que no todas las religiones consideran apropiado crear imágenes de la divinidad. De las tres grandes religiones monoteístas originadas en Oriente Próximo, el cristianismo se distingue por aceptar, y a menudo fomentar, las imágenes de Cristo, la Virgen, ángeles, santos y escenas bíblicas. En marcado contraste, el islam y el judaísmo prohíben las imágenes de Dios. Incluso en el cristianismo han surgido movimientos que rechazaban las imágenes religiosas, hasta el punto de destruirlas. Entre otros figuran los iconoclastas de la Iglesia Ortodoxa Bizantina y algunos grupos protestantes durante la Reforma. En los primeros 300 años de la cristiandad se crearon muy pocas representaciones de Cristo o de escenas de la Biblia. El Museo Británico posee una de las imágenes más antiguas de la historia cristiana de las que se tiene noticia que represente a Cristo con forma humana, y también una de las imágenes más antiguas que se conocen de la Crucifixión.

Las representaciones de Buda son también habituales en toda Asia, pese a que, durante los 400–500 años posteriores a su muerte, no se consideró apropiado crear una imagen de Buda en su forma humana. Dada la ingente cantidad de imágenes de la divinidad que se han elaborado en el mundo entero, cualquier museo se plantea la interesante pregunta de cómo transmitir al público la opción que adopta una sociedad a negarse a crear tales pinturas y estatuas: ¿quizás con la exhibición de un expositor vacío?

Detalle de una de las imágenes más antiguas de la crucifixión de las que se tiene noticia en el arte cristiano

Panel de caliza con *buddhapada*

En la primera etapa del budismo, no se consideraban apropiadas las imágenes del Buda histórico con figura humana. Buda se representaba con símbolos como los de este relieve, que muestra las *buddhapada* (las huellas de Buda). En la India actual se siguen reverenciando los "pies de loto" de dioses y gurús, y los adoradores deben ir descalzos en los templos, santuarios y hogares particulares. Los pies de Buda se caracterizan por dedos de idéntica longitud.

En la escultura budista, la condición divina se indica mediante signos de buenos auspicios o símbolos especiales. En este panel, en el centro de cada pie, se halla una *dharmachakra* de delicados radios ("rueda de la ley", puesta en marcha cuando el Buda pronunció su primer sermón). En los siglos posteriores a la creación de esta imagen se produjo un cambio importante en el arte budista: empezaron a surgir las primeras imágenes antropomórficas de Buda.

De la gran estupa de Amaravati, distrito de Guntur, Andhra Pradesh (India), siglo I a. C.
Altura 67,5 cm.
Transferida del Museo de la India

Icono del triunfo de la ortodoxia

ESTE ICONO CRISTIANO, una imagen piadosa de la tradición ortodoxa, es en realidad una representación de otro icono y conmemora el final de un periodo del cristianismo ortodoxo en el que se prohibieron y destruyeron los iconos y otras imágenes religiosas.

Las opiniones enérgicamente contrarias al uso de imágenes de Cristo y los santos en el culto ortodoxo acarrearon en el siglo VIII d. C. disputas enconadas y violentas y la destrucción de dichas representaciones (iconoclastia). La reinstauración de los iconos sagrados bajo la emperatriz bizantina Teodora en 843 se conoció como "El triunfo de la ortodoxia". El icono más famoso de Constantinopla, el de la Virgen María Hodegetria (Nuestra Señora del Camino), aparece pintado en la parte superior de esta obra. Se creía que su autor había sido San Lucas y, por lo tanto, que se trataba de un retrato real de la Virgen. La emperatriz regente Teodora y su hijo mejor, el emperador Michael III (r. 842–67), aparecen a la izquierda, con coronas y ropajes ceremoniales.

De Constantinopla (moderno Estambul) (Turquía) hacia 1400 d. C.
Altura 39 cm
Adquirido con la colaboración de Art Fund (Fundación Eugene Cremetti)

Mosaico de Hinton St. Mary

ESTE MAGNÍFICO SUELO DE MOSAICO contiene, según se cree, una de las primeras representaciones de Cristo con forma humana de la historia del arte cristiano. Se creó 300 años después del comienzo del cristianismo, cuando éste se había convertido ya en la religión oficial del Imperio Romano. Antes de esta época, los cristianos representaban a Cristo mediante símbolos. Este mosaico ocupaba el suelo de una gran villa romana en Gran Bretaña, y su diseño demuestra el sincretismo de las creencias paganas y la nueva religión.

En una parte del mosaico aparece el héroe mitológico griego Belerofonte montado en Pegaso, su caballo alado. En el centro del mayor pavimento se halla un medallón (en la ilustración), que contiene el busto de un hombre sin barba. Detrás de la cabeza figuran las letras griegas ji y ro, las primeras letras del nombre de Cristo. Juntas en un monograma como éste forman el crismón, el símbolo del cristianismo en la época.

De Hinton St. Mary, Dorset (Inglaterra)
siglo IV d. C.
Longitud 810 cm
Anchura 520 cm

Cabeza de una estatua de Buda

COMO SE HA EXPLICADO en páginas anteriores, en los primeros años del budismo no se consideraba apropiado representar a Buda con forma humana. Las imágenes de Buda, tan conocidas hoy en día, empezaron a aparecer alrededor de los siglos I-III d. C., más de 500 años después de la muerte de Buda. Esta representación temprana se creó en Gandhara, una zona actualmente repartida entre Pakistán y Afganistán.

Dada su posición geográfica, Gandhara ha sido desde siempre una encrucijada de las principales rutas comerciales de Asia. Tras la invasión de Alejandro Magno en 326 a. C., Gandhara estuvo 300 años gobernada por reyes griegos, hasta que la región cayó bajo el dominio de los escitas, partos y kushán. El arte de Gandhara recibió la influencia de las diversas culturas que recorrían las rutas comerciales o se establecieron en ellas, y adoptó un estilo característico, una amalgama de las tradiciones grecorromana, india, china y centroasiática.

De Gandhara, noroeste de Pakistán, siglos I–V d. C.
Altura 38,7 cm
De la colección del general de división sir Frederick Richard Pollock
Obsequio de lord Buckmaster, albacea del legado de Dighton Pollock

Rafael (1483–1520): *La Virgen y el Niño*

Algunas de las obras de arte más excelsas pertenecen a la imaginería religiosa. La imagen de la Virgen María con el Niño Jesús se ha dibujado, pintado y esculpido miles de veces.

Este cartón (estudio de composición a tamaño completo) es obra del artista renacentista italiano Rafael y corresponde a una de sus pinturas, conocida como la Virgen de la Torre, actualmente en la National Gallery de Londres. El cuadro, muy dañado, fue objeto de una importante restauración, pero este dibujo en tiza negra da una idea excelente de su aspecto original. Las figuras de la Virgen y el Niño están dispuestas en una composición piramidal, que recuerda los dibujos y pinturas de Leonardo da Vinci, contemporáneo de Rafael, aunque mayor, con quien el pintor estudió en Florencia. Las formas en este dibujo, no obstante, son más pronunciadas y rotundas.

De Italia, hacia 1510–12 d. C.
Altura 70,7 cm

Figura de Tara en bronce dorado

DESCONOCEMOS EL NOMBRE del artista que creó esta estatua de la diosa Tara, cuya imagen se ha representado durante siglos. Tara era una de las diosas madres hindúes, pero con la expansión del Budismo se identificó con la consorte de Avalokiteshvara, el *bodhisattva* de la compasión. Los *bodhisattva* son seres que han alcanzado el más alto grado de iluminación, pero han elegido quedarse en el mundo para ayudar a las personas a conseguir la salvación.

Esta figura está elaborada a partir de un molde sólido, de una única pieza, en bronce dorado. Se trata de uno de los mejores ejemplos de escultura figurativa en bronce fundido de Asia. Seguramente, los ojos y el pelo llevaban incrustaciones de piedras preciosas, y la pequeña hornacina del peinado contenía una imagen de un Buda sentado. La mano derecha de Tara aparece en la posición de *varadamudra*, el gesto de la generosidad; la mano izquierda está vacía, pero originalmente quizás sostuviera una flor de loto.

Hallada entre Trincomalee y Batticaloa (Sri Lanka), obra del siglo VIII d. C.
Altura 143 cm
Obsequio de sir Robert Brownrigg

Relieve "Reina de la Noche"

Esta espectacular placa de terracota contiene la imagen de una diosa no identificada de la antigua Babilonia. La placa está elaborada en arcilla cocida mezclada con paja, y tallada en alto relieve. La voluptuosa figura femenina central porta un tocado con cuernos, típico de las deidades mesopotámicas, y en la mano sujeta la cuerda y el aro de la justicia, símbolos de su divinidad. Lleva las alas caídas, lo que indica que se trata de una diosa ctónica. Originalmente estaba pintada de color rojo, con alas multicolores, sobre un fondo negro, lo que sugiere que se trata de una figura asociada con la noche.

Posiblemente, esta placa se encontraba en un santuario. Esta imagen podría representar un aspecto de Ishtar, la diosa mesopotámica del amor sexual y la guerra; de su hermana y rival, la diosa Ereshkigal, que reinaba en el inframundo; o del espíritu femenino Lilitu, conocida en la Biblia como Lilit.

Del sur de Irak, 1765–1745 a. C.
Altura 49,5 cm
Adquirida con la ayuda del Fondo de la Lotería para el Patrimonio, Amigos del Museo Británico, Art Fund (con aportación de la Fundación Wolfson), Amigos del Antiguo Oriente Próximo, Sir Joseph Hotung Charitable Settlement y The Seven Pillars of Wisdom Trust.

Estela de arenisca con una figura de Harihara

Esta escultura de la India sincretiza dos deidades hindúes en un solo ser, llamado Harihara. La figura de cuatro brazos es una forma compuesta de los dioses Shivá y Visnú. El lado derecho representa a Shivá, y el izquierdo a Visnú. En el fondo, las figuras de la derecha se asocian con Shivá, como sus hijos Ganesha y Kartikeya. A la izquierda, en lo alto de la estela, se encuentran las diez encarnaciones de Visnú. Shivá lleva el pelo enroscado en una toca muy elaborada, con una serpiente y una calavera. El dios sostiene en la mano un rosario y un tridente, símbolos de su poder y de su carácter ascético. Visnú se toca con una alta corona real, emblema de su labor regia de protector del orden universal. En la oreja lleva un pendiente recargado, y sostiene sus atributos: la caracola y la rueda. Las esculturas de este tipo se colocaban en una hornacina en una pared de los templos.

De Khajuraho, Madhya Pradesh, centro de la India,
siglo X d. C.
Altura 165 cm
Colección Bridge

Relicario Bimaran

ESTE RELICARIO DE ORO, recipiente ricamente decorado para conservar reliquias sagradas, se encontró en el siglo XIX dentro de una caja de piedra, con una inscripción que aseguraba que contenía algunos huesos de Buda. Sin embargo, no aparecieron ni su tapa ni su contenido. El relicario estaba depositado en una estupa, con perlas, cuentas y cuatro monedas que datan aproximadamente de 5 d. C. Se trata de un objeto fundamental para el estudio de la historia del budismo.

Si el relicario procede de la misma época que las monedas, nos hallamos ante el ejemplo mejor conservado de orfebrería que nos ha llegado de la India antigua. Su friso está decorado con una de las representaciones más tempranas de Buda, enmarcado en arcos y flanqueado por Indra y Brahma, dioses primitivos de la India. Además, destaca la figura de un adorador, posiblemente un *bodhisattva*, un semidiós que ha alcanzado la iluminación pero permanece en el mundo para ayudar a quienes no la poseen.

De la estupa 2 de Bimaran, Gandhara, siglo I d. C.
Altura 6,7 cm

Relicario de la Santa Espina

ESTE RELICARIO CRISTIANO fue creado para que contuviera una espina de la corona que colocaron en la cabeza a Cristo en la crucifixión. Al igual que los huesos de Buda, la Santa Espina era una reliquia religiosa muy importante y poderosa.

Una espectacular escena del Juicio Final rodea el relicario. En el borde exterior se encuentran los doce apóstoles, y Dios Padre en lo alto. En la parte inferior, cuatro ángeles tocan las trompetas y los muertos salen de las tumbas. Por detrás de la figura de Dios se halla un relieve dorado de la Santa Faz del paño de Santa Verónica, un fragmento del cual podía haberse guardado en el compartimento secundario de la parte posterior, protegido por dos compuertas doradas, decoradas con las imágenes de San Cristóbal y San Miguel. Se cree que el relicario estuvo relacionado de alguna manera con Jean, duque de Berry (1340–1416).

De París, hacia 1400–10 d. C.
Altura 30,5 cm
Donación del barón Ferdinand de Rothschild

Máscara de madera de un *bodhisattva*

El museo alberga numerosas máscaras de diversas partes del mundo, muchas de las cuales se elaboraron para su uso en ceremonias religiosas. Esta máscara de madera esmaltada y dorada procede de Japón y cuenta con más de 700 años de antigüedad. Representa a un *bodhisattva* budista y puede que se luciera durante una ceremonia *gyōdō*. Se trata de una procesión al aire libre de monjes budistas enmascarados, encabezada por bailarines que portaban la máscara *shishi* (león) para exorcizar el camino. Estas procesiones solían formar parte de la inauguración de un nuevo templo o de una dedicación. Las máscaras representan figuras budistas concretas, como deidades guardianas, dioses dragón y *bodhisattva*, estas últimas especialmente asociadas con las formas raigō de estas ceremonias.

De Japón, periodo Kamakura, siglo XIII d. C.
Altura 23 cm
Obsequio de lady Francis Oppenheimer

Máscara del *Nulthamalth* (bufón danzante)

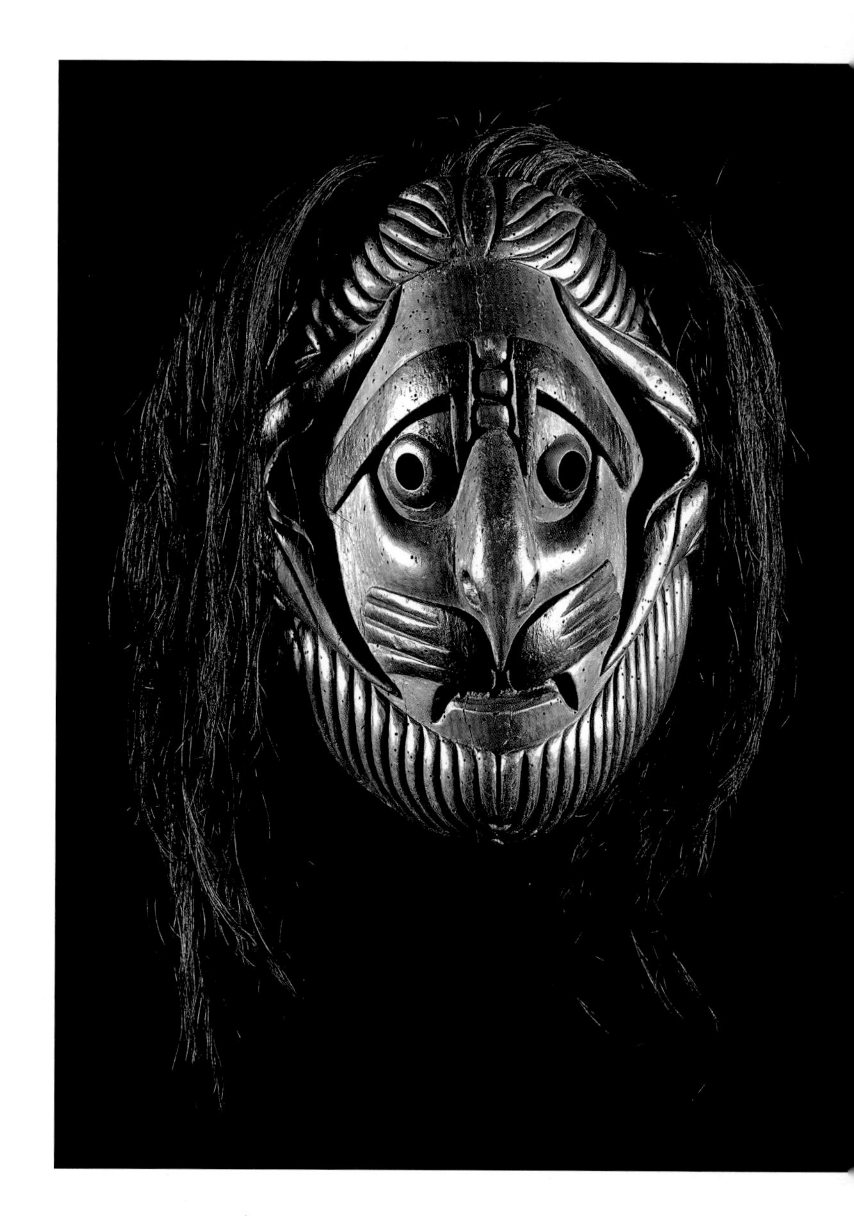

ESTA MÁSCARA ES OBRA del pueblo kwakwaka'wakw, que habita en la isla de Vancouver y en la zona colindante en tierra firme, en la provincia canadiense de Columbia Británica. Se usaba durante la *potlatch*, una ceremonia en la que se hace ostentación de la riqueza mediante el acto de regalarla, un elemento importante de la cultura de los kwakwaka'wakw.

El *Nulthamalth* (bufón danzante) es un personaje de la Ceremonia Invernal Kwakwaka'wakw, que obliga a cumplir con las buenas conductas. Se dice que estos seres tienen una nariz muy larga y goteante, y el pelo enmarañado. Pese al papel que desempeñan en la *potlatch*, se cree que odian la limpieza y el orden. Durante la danza, se esparce un sucedáneo de moco pegajoso, y el bailarín paga después los desperfectos que ha causado en la ropa y posesiones de los asistentes.

Se ha propuesto la teoría de que este tipo concreto de máscara del siglo XIX emulaba las características de una talla de cabeza de león encontrada en el mascarón o en los adornos de un velero europeo.

Kwakwaka'wakw, de Columbia Británica, siglo XIX d. C.
Altura (sin pelo) 33,5 cm
Obsequio de la Sra. H.G. Beasley

Marco Zoppo (hacia 1432–78): *Cristo muerto, sostenido por ángeles*

La intensidad del dolor y el sufrimiento que refleja aquí la cara de Cristo, junto con las emociones de los ángeles, sugieren que este dibujo sobre vitela estaba destinado a la devoción privada. Como la vitela era un material carísimo, posiblemente este dibujo se creara como objeto privado para un mecenas o bien como obra de arte extremadamente refinada.

Buena parte de la obra se pintó a pincel, aunque los detalles arquitectónicos y algunos añadidos a las caras de los ángeles se dibujaron con una plumilla fina. El torso de Cristo aparece especialmente bien perfilado, y los ropajes de dos de los ángeles que sujetan la parte superior del cuerpo de Cristo destacan por su complejidad y detalle. Zoppo, oriundo de la provincia de Bolonia, estudió las obras del escultor florentino Donatello (1386–1466) en Padua, durante su breve estancia de aprendizaje en la ciudad, entre 1453 y 1455.

De Italia, hacia 1455–60 d. C.
Altura 35 cm
Adquirido con la colaboración del Fondo de la Lotería para el Patrimonio

Mitra matando un toro

El culto a Mitra se originó en Persia, pero se propagó por todo el Imperio Romano durante los tres primeros siglos de la era cristiana. En esta estatua de mármol, el dios Mitra aparece matando a un toro, cuya sangre derramada se creía que propiciaba el renacimiento de la luz y de la vida. El perro y la serpiente que intentan lamer la sangre del animal figuran prominentemente en la imaginería religiosa de Persia, al igual que el escorpión que ataca los genitales del toro.

Los devotos del culto a Mitra, tras una iniciación secreta, alcanzaban el rango de "soldado", de "cuervo" y, por último, de "padre". Consumían pan y agua, representaciones de la carne y la sangre del toro, en banquetes comunales. Esto, junto con el énfasis del culto en la regeneración, les granjeó la enemistad acérrima de los cristianos. La popularidad del mitraísmo radica en parte en su atractivo entre la soldadesca, pero al igual que todas las religiones mistéricas (incluido el cristianismo) se benefició de la tendencia al monoteísmo surgida durante el Bajo Imperio.

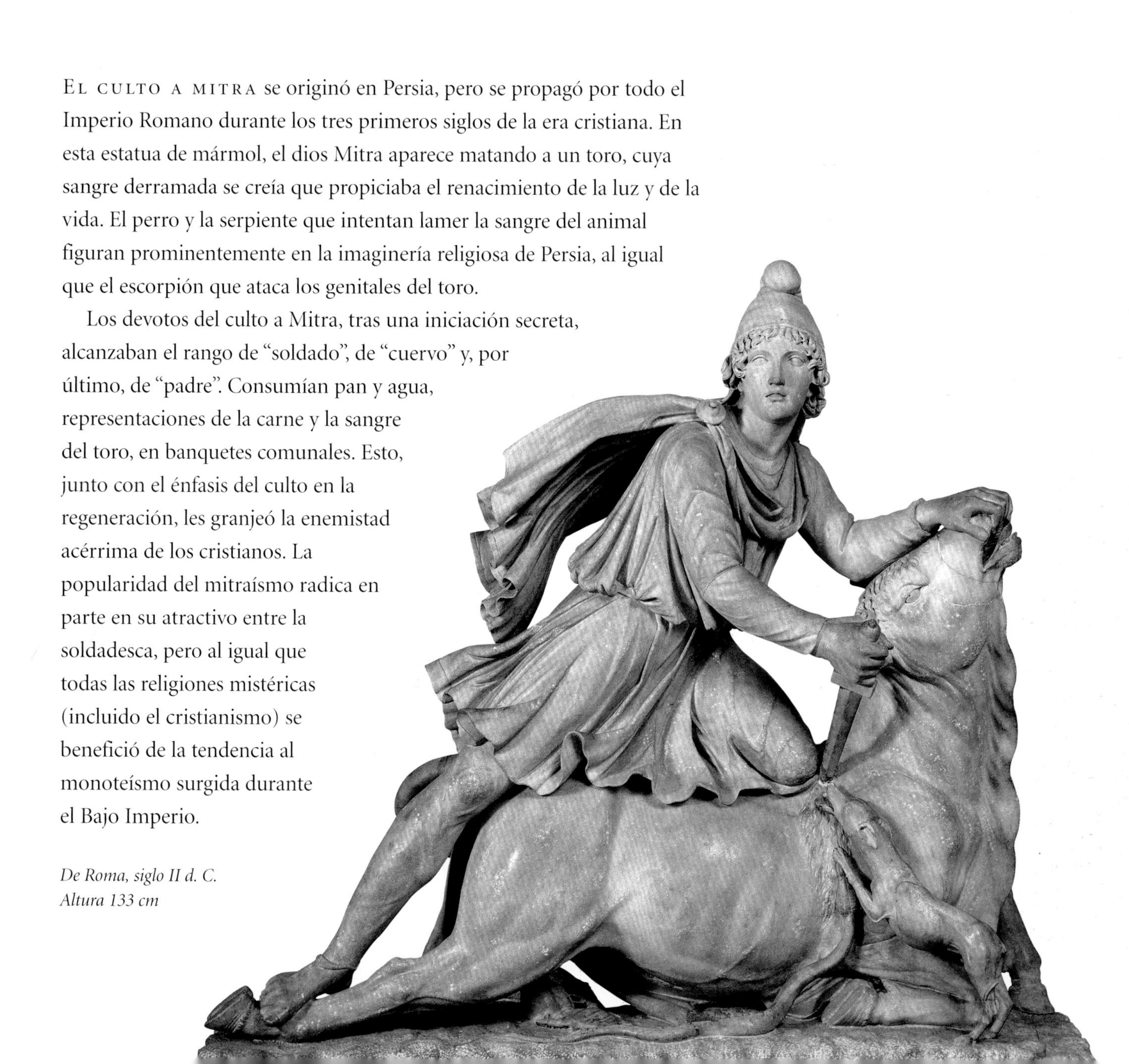

De Roma, siglo II d. C.
Altura 133 cm

Nataraja, señor de la danza

ESTA FIGURA DE BRONCE, fundida en una sola pieza, es una obra maestra tanto de la creatividad como de la técnica. Representa al dios hindú Shivá como Nataraja, señor de la danza. Las figuras de Nataraja, situadas en altares de los templos y llevadas en procesión durante los festivales, eran especialmente populares durante la dinastía Chola en Tamil Nadu, entre los siglos X y XII.

Shivá con la forma de Nataraja aparece al final de un ciclo cósmico y el principio del siguiente, asociado con la creación y con la destrucción. Con una mano sostiene el fuego, símbolo de destrucción, y con la otra el tambor de dos caras que evoca la creación. Incrustada en el pelo lleva una figurita de la diosa Ganga, la personificación del Ganges, el río sagrado. También se distingue en el pelo el cuarto creciente de la luna y la embriagadora flor datura, ambos estrechamente vinculados a su naturaleza agreste. Con un pie aplasta al enano de la ignorancia, Apasmara.

De Tamil Nadu, sur de la India, dinastía Chola, hacia 1100 d. C.
Altura 89,5 cm

Parte superior de una estatua colosal de un barbudo en piedra caliza

ESTA ENORME ESCULTURA griega de Chipre representa probablemente a un sacerdote del dios Apolo. Originalmente habría estado situada en el centro de una serie de estatuas, delante del patio principal del santuario de Apolo.

Entre 526 y 525 a. C., Chipre entró a formar parte del Imperio Persa. Como consecuencia, los escultores chipriotas recibieron influencias artísticas de otras zonas del imperio, que se extendía desde Grecia y Egipto hasta la India y Afganistán. En esta figura se mezclan influencias griegas y persas. El sujeto está vestido al estilo griego, con un quitón (túnica) parcialmente cubierto por el himátion (capa). El pelo corto, ceñido por una corona de laurel decorada con rosetones, también sigue el estilo griego, al igual que la sonrisa en los labios. Sin embargo, la doble hilera de tirabuzones sobre la frente y el tratamiento de la barba rizada artificialmente concuerdan con la moda de los persas aqueménidas.

Del santuario de Apolo en Idalion (moderna Dali) (Chipre), hacia 500–480 a. C.
Altura 104 cm
Excavado por sir Robert Hamilton Lang

Figura masculina de madera

ESTA SINGULAR IMAGEN de madera da testimonio de las creencias y rituales religiosos de los pueblos que habitaban en el Caribe antes de la llegada de los conquistadores europeos. Procede del pueblo taíno, cuyas comunidades estaban gobernadas por una élite de jefes, los llamados caciques, y guías espirituales.

La religión de los taínos se centraba en las fuerzas espirituales del mundo humano enfrentadas a las fuerzas del mundo natural. Estos opuestos se equilibraban mutuamente y podían afectar a los humanos de forma benigna o maligna. Entre las fuerzas naturales se contaban los espíritus de la lluvia, la yuca y la tierra, y los taínos creaban imágenes en piedra y madera de estas divinidades. Esta figura alzada de madera tiene tallados unos surcos desde los ojos hasta las mejillas. Estos "surcos de lágrimas" se vinculan con el mito taíno de los cemíes gemelos (espíritus propicios), uno relacionado con el sol y el otro con la lluvia. Por consiguiente, esta figura podría representar a una deidad o a un ancestro.

De Jamaica, 1200–1500 d. C.
Altura 40 cm
Colección Christy
Colección Isaac Alves Rebello

Máscara de arcilla del demonio Huwawa

Esta máscara de arcilla tiene forma de intestinos enrollados, representados por una línea continua. En Mesopotamia, el análisis de la forma y el color de los órganos internos de un animal sacrificado era un método para predecir el futuro. Los expertos mantenían un registro de estos signos o augurios, correlacionados con los hechos que ellos creían que habían pronosticado.

Una inscripción cuneiforme en su parte posterior indica que esta máscara representa unos intestinos descubiertos con forma de la cara del demonio Huwawa (también llamado Humbaba), el guardián del Bosque de los Cedros en el poema épico de Gilgamesh, al que derrotaron Gilgamesh y Enkidu. Unos intestinos con esta forma se interpretaban como augurio de revolución. El adivino que creó la máscara aparece en la inscripción con el nombre de Warad-Marduk. El objeto se encontró en Sippar, el centro de culto de Shamash, el dios sol responsable de los augurios.

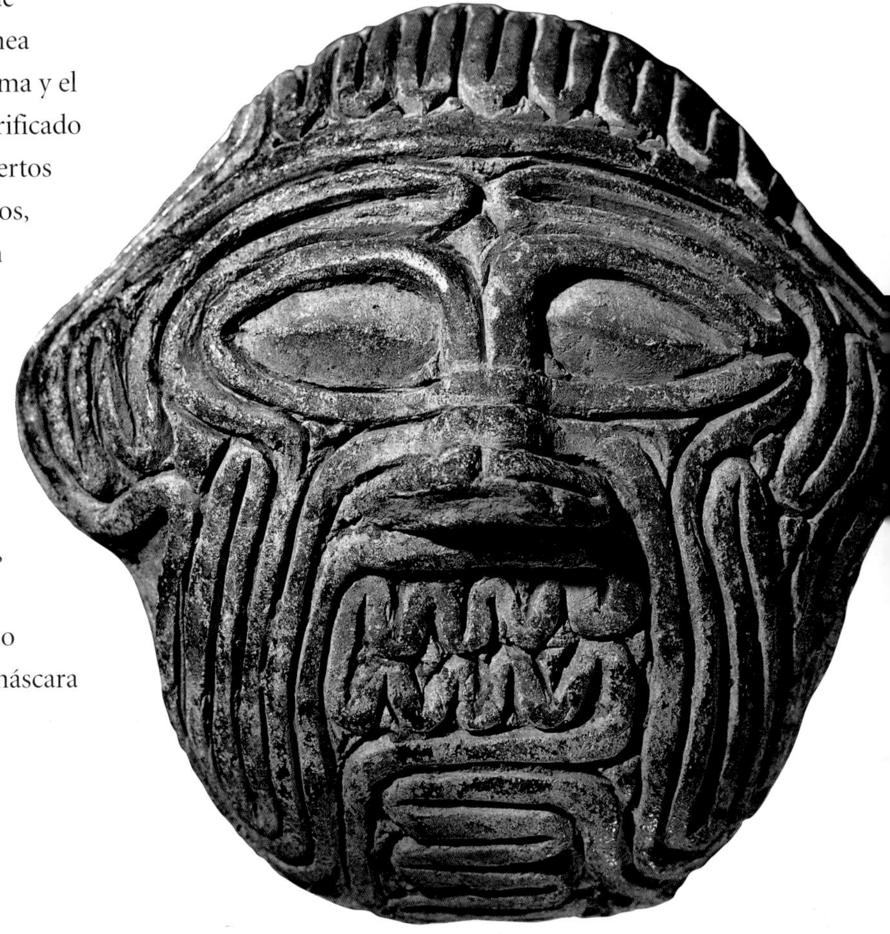

De Sippar, sur de Irak, hacia 1800–1600 a. C.
Altura 8,4 cm

Talla en madera noble, conocida como A'a

ESTA FIGURA TALLADA en la isla de Rurutu, en el océano Pacífico, representa probablemente al dios A'a. Se trata de una de las diversas figuritas que los rurutuans entregaron a los misioneros a finales 1821 como símbolo de aceptación del cristianismo.

El dios aparece aquí en plena creación de otros seres divinos y humanos, representados por las figuritas que cubren su cuerpo. La talla, que está hueca, contenía originalmente otras 24 figuritas, ya destruidas. Los rurutuans actuales han explicado que las figuritas del exterior corresponden a los grupos de parentesco que componen su sociedad.

Desde que llegó a Londres, la talla ha recibido una gran atención y está considerada uno de los ejemplos más excelsos de la escultura polinesia que ha sobrevivido hasta nuestros días. Influyó en el escultor británico del siglo XX Henry Moore y se convirtió en el tema del poema de William Empson *Homenaje al Museo Británico*.

Elaborada en la isla de Rurutu (Polinesia), quizás en el siglo XVIII d. C.
Altura 117 cm

Estatua de bronce del Buda Shakyamuni

ESTA BELLA ESTATUA de bronce se creó en el taller de un monasterio budista, probablemente en estado indio de Bihar, poco después del final de la dinastía Gupta (320–550 d. C.). La figura reúne muchas de las características típicas del periodo Gupta: delicada, grácil y sencilla, con grandes párpados, mirada caída y rizos "acaracolados". El hecho de que mire hacia el suelo indica además que estaba destinada a ocupar una posición elevada en un altar y, en ocasiones, a salir en procesión.

La estatua presenta diversas señales de la condición sobrenatural de los budas, como la *usnīsa* (protuberancia en la coronilla) y los dedos palmeados. Este tipo de imagen es importante en la evolución estilística de la influencia cultural india, pues consiguió crear el Buda por antonomasia, copiado en todo el budismo asiático.

Del este de la India, siglo VII d. C.
Altura 35,5 cm
Propiedad conjunta del Museo Británico y el Museo Victoria y Alberto, adquirida con contribuciones del Fondo de la Lotería para el Patrimonio, Art Fund, Brooke Sewell Permanent Fund (BM), Museo Victoria y Alberto, Amigos del Museo de Victoria y Alberto, y donativos de particulares.

Dintel de puerta (*pare*) de una casa

PARA LAS IMÁGENES RELIGIOSAS se han usado muchos soportes diferentes, aunque las que se crearon en materiales perecederos, como la madera, no han resistido bien el paso de los siglos. Esta talla de madera es un dintel (*pare* en maorí) de puerta de una casa pequeña. Se cree que la imagen representa a Papatuanuka, la Madre Tierra, pariendo a los dioses principales. Según otra interpretación, se trata de Hinenuitepo, la diosa de la muerte, imponiéndose al semidiós Maui, quien intentaba conseguir la inmortalidad para la humanidad.

La figura central en estas imágenes suele ser femenina, aunque en este caso la zona de los genitales se ha tallado con forma de máscara. Flanquea la figura una *manaia* que mira hacia afuera, un motivo en el que el cuerpo se suele representar de perfil. Los ojos de las tres figuras llevan incrustaciones de madreperla, y el espacio entre ellas contiene tallas de pequeñas figuras, bucles y espirales.

De la zona de la bahía Poverty (Nueva Zelanda), 1800–20 d. C.
Anchura 98 cm
Obsequio de sir George Grey

Figura de madera de un guardián

Esta singular talla de madera tiene casi 2.500 años de antigüedad. Estas figuras se colocaban en tumbas, como guardianas, en el antiguo estado chino de Chu, territorio que actualmente ocupan las provincias de Hunan y de Hubei. Cuando se talló esta figura, la dinastía Zhou gobernaba buena parte de China.

Los Chu veneraban y temían a numerosos espíritus, y empleaban chamanes para interceder y comunicarse con ellos. Los tocados de cornamenta de animales revestían significados especiales en los rituales chamanísticos. Es posible que tallas de madera como ésta, con astas de laca seca, representaran a un chamán o sus poderes. Los Chu son famosos por su tradición escultórica y sus técnicas de tallado de la madera, y también produjeron imágenes más realistas de criaturas como garzas y venados.

Del sur de China, periodo Zhou oriental, siglo IV a. C.
Altura (desde la base) 43,7 cm

Miguel Ángel Buonarroti (1475–1564): *Epifanía*

ESTE CARTÓN (dibujo preliminar a tamaño completo) contiene 26 hojas de papel y mide más de dos metros de altura. Se aprecian abundantes alteraciones, que muestran cómo Miguel Ángel cambió las formas y la composición.

En el centro se encuentra la Virgen María, con el Niño Jesús sentado entre las piernas. La Virgen aleja con el brazo la figura masculina situada a su derecha, quizás San José, que tiene delante a un infante San Juan el Bautista. A la izquierda aparece una figura no identificada, y otras se vislumbran en el fondo. La imaginería se refiere a los hermanos de Cristo mencionados en los Evangelios. El título podría aludir al santo griego del siglo IV San Epifanio (hacia 315–403 d. C.), quien creía que San José tenía hijos de un matrimonio anterior y que la unión de María y José nunca se consumó. Esto explicaría también el gesto de la Virgen.

De Roma, hacia 1550–53 d. C.
Altura 232,7 cm
Obsequio de John Wingfield Malcolm

Escultura de piedra de Tlazolteotl

La fertilidad es un tema recurrente en el arte huasteca, donde se representa mediante esculturas de piedra de diosas, ancianos y falos. Las figuras femeninas se asocian a Tlazolteotl, una diosa madre. Las representaciones de Tlazolteotl también se hallan en códices (libros con pinturas) y figuritas de cerámica, y grabadas en colgantes de conchas.

Los huastecas habitaban en la parte septentrional del golfo de México, en lo que aproximadamente ocupan los estados actuales de Veracruz, San Luis Potosí, Hidalgo y Tamaulipas. Era una región fértil, donde se cosechaba sobre todo algodón, principal artículo tributario y comercial.

Las esculturas de Tlazolteotl tienen características comunes, como la postura rígida, las manos sobre el estómago, los pechos desnudos y la falda larga. Su gran tocado consta normalmente de una sección rectangular, rematada por un gorro cónico y una cresta en forma de abanico. Sin embargo, en este ejemplar no hay rastro de ropa y la cresta en abanico está tallada por la parte posterior de la cabeza.

Huasteca, de la región del río Pánuco (México), 900–1521 d. C.
Altura 93 cm
Obsequio del capitán Vetch

Cabeza de bronce de Apolo ("Apolo Chatsworth")

ESTA CABEZA DE BRONCE procede de una estatua de un tamaño ligeramente superior al natural. Como en la época de su creación, el siglo V a. C., los griegos solían representar únicamente a las divinidades con un tamaño mayor de lo normal, seguramente se trata de la imagen de un dios y no de un humano idealizado. Los mechones de pelo, largos y rizados, indican que habría formado parte de una estatua del dios Apolo "de cabellos de oro", asociado con la luz, la belleza y la música. Originalmente, los ojos estaban formados por incrustaciones y, posiblemente, llevaba los labios pintados.

La estatua se descubrió en Chipre en 1836. Las estatuas de bronce que se conservan son escasas, pues a lo largo de los siglos se han ido fundiendo para aprovechar el metal. Lamentablemente, el resto de esta estatua corrió dicha suerte poco después de su descubrimiento. La cabeza se conoce con el nombre de Apolo Chatsworth, puesto que perteneció a los duques de Devonshire y se exhibía en la Mansión de Chatsworth, en Derbyshire.

Encontrada cerca de Tamasos (Chipre), hacia 460 a. C.
Altura 31,6 cm

Talla de madera de Ku-ka'ili-moku, dios de la guerra

ESTA FIGURA, grande y amedrentadora, es una imagen de un templo al dios hawaiano de la guerra, Ku, en su aspecto de Ku-ka'ili-moku (usurpador de tierras). Por sus más de 2,5 metros de altura, no se creó para que representara a la deidad, sino como un receptáculo en el que, mediante oraciones y rituales, acababa entrando el dios. Sólo cuando el dios se encontraba en su interior, la imagen se convertía en sagrada.

La figura es típica de Ku, aunque el pelo, con sus estilizadas cabezas de cerdo, sugiere también una identificación con Lono, dios de la paz, la fertilidad y la música. Ku era el dios personal del rey Kamehameha I, quien unificó las islas hawaianas en 1795. Kamehameha levantó varios templos en honor a Ku en la región de Kona (Hawái), para granjearse la ayuda del dios en sus aspiraciones militares. El propio Kamehameha erigió esta figura, quizás una imagen secundaria en la parte más sagrada de uno de dichos templos.

De Hawái, posiblemente 1790–1810 d. C.
Altura 272 cm
Obsequio de W. Howard

Máscara de bronce de Dioniso

ESTA MÁSCARA SOSTENÍA en su origen el asa de una vasija ritual, con una anilla (ahora desaparecida) que sobresalía por la parte superior de la cabeza. Da testimonio de una gran destreza artesanal, tanto por la calidad del vaciado en bronce como en el uso de las incrustaciones metálicas para destacar los detalles. Lleva incrustaciones de cobre en uvas, bayas y labios, de plata en los ojos, y una banda de hierro le ciñe la frente.

Probablemente, la imagen es consecuencia del sincretismo de las religiones griega y egipcia tras la conquista de Egipto por parte de Alejandro Magno en 332 a. C. Dioniso, el dios griego del vino, se asimiló a Osiris, consorte de la diosa egipcia Isis. El recipiente del que formaba parte la máscara era posiblemente un cruce entre un cuenco para mezclar el vino dionisíaco y el balde ritual (*situla*) usado en el culto de Isis para contener "la leche de la vida".

De Grecia, hacia 200 a. C.–100 d. C.
Altura 21,4 cm
Adquirida con la ayuda de National Heritage Memorial Fund.

Hacha votiva de jade

ESTA HACHA NO se creó para usarla como herramienta, sino como objeto religioso y ceremonial. Se trata de una talla de jade de la cultura olmeca de México, con más de 2.000 años de antigüedad. El hacha está esculpida con forma de efigie de cabeza grande y cuerpo corto y fornido, que se afina hasta formar el filo de la hoja. Las hachas votivas de este tipo combinan rasgos humanos y de animales como el jaguar, el sapo o el águila. Las cejas flameantes, como las de este ejemplar, se creen representaciones del penacho del águila arpía. La mezcla de características humanas y animales y la plasmación de seres sobrenaturales son habituales en el arte olmeca.

La mayoría de las hachas olmecas muestran una hendidura profunda en el centro de la cabeza. Esta fisura se ha interpretado como la fontanela (zona blanda) de la coronilla de los recién nacidos, o bien el profundo surco que tienen en la cabeza los jaguares machos y ciertas especies de sapos.

De México, 1200–400 a. C.
Altura 29 cm
Colección Christy

Lanx de Corbridge

ESTA MAGNÍFICA fuente de plata está decorada con escenas de dioses paganos clásicos. Se encontró a orillas del río Tyne, en Corbridge, cerca de la Muralla de Adriano, en 1735. La palabra latina *lanx* significa 'bandeja'.

La escena muestra un santuario de Apolo, donde el dios sujeta un arco, con la lira a sus pies. Su hermana gemela, Ártemis (Diana), la diosa cazadora, entra por la izquierda. La diosa tocada con el yelmo, que tiene la mano levantada para indicar que está hablando, es Atenea (Minerva).

La decoración y el estilo de la bandeja apuntan al siglo IV d. C. como su fecha de creación, cuando el cristianismo era ya la religión oficial del Imperio Romano. Aunque se encontró en el norte de Inglaterra, seguramente se elaboró en la cuenca del Mediterráneo, quizás en el norte de África o en Oriente Próximo. Se ha sugerido que podría proceder de Éfeso, en la moderna Turquía, por su vinculación al culto de Ártemis y Apolo.

Encontrada en Corbridge, Northumberland, siglo IV d. C.
Longitud 50,6 cm
Entregada por el secretario de estado para el Patrimonio Nacional, con la colaboración de National Heritage Memorial Fund, Art Fund y Amigos del Museo Británico.

Escultura de piedra de Shakti-Ganesha

GANESHA ES EL HIJO con cabeza de elefante de los dioses hindúes Shivá y Parvati, conocido por toda la India como el Señor de todos los Comienzos. Por esta razón, se le rinde culto antes de acometer una nueva empresa.

Aunque a Ganesha se le suele plasmar con cabeza y cuatro brazos, en esta singular escultura aparece con cinco cabezas y diez brazos. Sostiene una serie de armas, incluidos un tridente, un disco y un arco y flechas, junto a otros objetos, como una granada, un matamoscas y un colmillo roto. Ganesha aparece normalmente solo, pero aquí tiene sentada en la pierna izquierda una *shakti* (consorte). Su *vahana* (vehículo), la pequeña rata sobre la que viaja, aparece en el hueco en la base de la estatua, que a su vez sustentan los *ganas* (enanos), ayudantes de Shivá y Parvati. Otro de los nombres de Ganesha es Ganapati ('señor de los *ganas*'), pues es el jefe de estos enanos.

Probablemente de Konarak Orissa, este de la India, siglo XIII d. C.
Altura 102 cm
Colección Bridge

Figura de mármol del Buda Amitabha

DOS DE LOS OBJETOS de mayor tamaño del Museo son imágenes religiosas. Esta enorme estatua de mármol del Buda Amitabha, con sus casi 6 metros de altura, se hallaba en un templo del norte de China. La erigió el primer emperador de la dinastía Sui, Wendi, quien se convirtió al budismo y fomentó su difusión por toda China.

Wendi repartió reliquias budistas por todo su imperio y fue responsable de la creación y restauración de muchas imágenes religiosas. En las enseñanzas budistas, Amitabha tiene potestad sobre el paraíso occidental, un territorio celestial donde renacerán quienes invoquen su nombre.

Se han perdido las manos de la estatua, pero seguramente llevaba la derecha levantada con la palma hacia afuera, el gesto de la protección (*abhayamudra*), y la izquierda hacia abajo con el gesto de la misericordia (*varadamudra*). Se trata de una figura muy sólida, con vestimentas esmeradamente talladas en pliegues planos, típicas del periodo Sui.

Consagrada en el templo de Chongguang, aldea Hancui, provincia de Hebei, norte de China, dinastía Sui, 585 d. C.
Altura 580 cm
Regalo del Gobierno chino para conmemorar la Exposición de China de Londres en 1935–36.

Hoa Hakananai'a

ESTA ESTATUA MONUMENTAL de la cabeza y el torso de un hombre se conoce con el nombre de Hoa Hakananai'a ('amigo robado u oculto'). La Isla de Pascua es famosa por sus esculturas monolíticas de basalto (*moái*). Los *moáis*, labrados entre 1000 y 1600 d. C., quizás para conmemorar antepasados importantes, originalmente se erigían sobre plataformas de piedra (*ahus*).

Una serie de dibujos ceremoniales cubren el dorso de la figura, aunque se trata de añadidos posteriores, pues están relacionados con el culto en la isla al hombre pájaro, desarrollado hacia 1400 d. C. En la parte superior de la espalda y los hombros tiene dos hombres-pájaros encarados. En el centro de la cabeza aparece tallado un polluelo con el pico abierto. Conforme el culto evolucionó, los *moáis* fueron paulatinamente abatidos de sus plataformas. Después de 1838, en una época de desmoronamiento social tras la intervención de los europeos, se derribaron todos los *moáis*.

Recogido en 1868 d. C. por la tripulación del HMS Topaze, en Orongo, Rapa Nui (Isla de Pascua), hacia 1000 d. C.
Altura 242 cm
Obsequio de S.M. la reina Victoria.

2 Indumentaria

En todo el museo se puede encontrar una amplia variedad de joyas, adornos y demás prendas de vestir de todas las culturas y periodos históricos. Al parecer, desde el principio de la era que los arqueólogos han dado en llamar Edad Moderna, hace 40.000 años, los humanos nos hemos servido de vestimentas y adornos para expresar quiénes somos y quiénes deseamos ser. Algunas de las joyas más antiguas del Museo son piezas de collares de la última Era Glacial.

Las joyas están elaboradas en diferentes metales y diversos materiales, y abarcan desde piezas sencillas hasta los mejores exponentes de la artesanía de una cultura determinada. En ocasiones se han lucido como exhibición de riqueza o para destacar la importancia del portador, y a menudo encarnan otros aspectos de su poder o de su función en la comunidad. Por ejemplo, el estilo de los broches y las distintas formas de llevarlos pueden indicar diferencias entre grupos, regiones y pueblos vecinos.

Broche Londesborough

Entre tanta diversidad destacan características comunes, como las partes del cuerpo que más se han adornado. Por ejemplo, es habitual ver objetos destinados a la cabeza, el cuello y los hombros. Si bien su forma puede diferir de una cultura a otra, las joyas y ropas llevadas en estas partes del cuerpo se han usado frecuentemente para proclamar poderes y cargos, como demuestran las capas, coronas, collares y torques de este capítulo. Las demás partes del cuerpo que normalmente se han resaltado con joyas se podrían denominar "de transición": entre manos y brazos, pies y piernas, y la cintura.

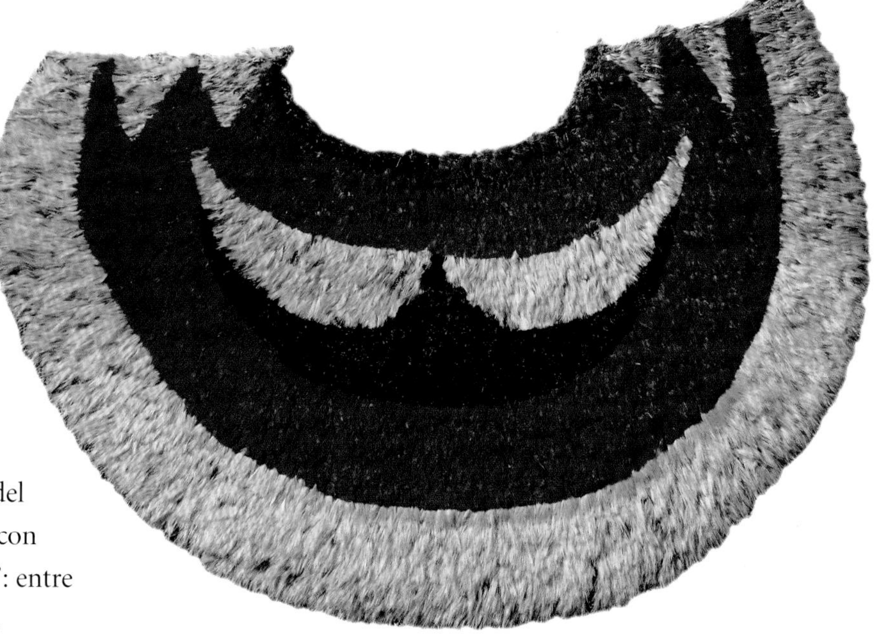

Capa de plumas

Las joyas que nos han llegado del pasado, aunque de intrincado diseño y metales preciosos, constituían sólo un aspecto de la apariencia general de quien las llevaba. Por ejemplo, los excepcionales y delicados collares y broches de oro macizo del tesoro de Winchester, obras maestras de orfebrería, indican probablemente el poderío y las conexiones con el extranjero de sus propietarios. Sin embargo, cuesta imaginar su aspecto junto con el resto de la indumentaria, peinados y maquillajes de sus primeros propietarios. Aunque nos han llegado algunas imágenes del pasado que muestran cómo se vestía y se arreglaba la gente, e incluso (más raramente) algunas prendas de vestir, lo más habitual es tener que recurrir a la hipótesis en este terreno.

La delicada capa hawaiana de plumas que abre este apartado pertenece a una categoría poco conocida de las colecciones del Museo, que comprende miles de prendas de vestir fabricadas en paño, pieles de animales, cuero, plantas e incluso plumas de pájaros. Algunas tienen varios miles de años de antigüedad, como fragmentos y algunos trozos de tela y ropajes de Egipto y Sudamérica, e incluso una peluca del antiguo Egipto. Las colecciones poseen tejidos africanos y ropajes del Pacífico, el continente americano y el Ártico, recopilados por todo el mundo en los últimos 250 años. Como la mayoría de ellos están elaborados en materiales orgánicos perecederos, su conservación y manejo requieren considerables cuidados de especialistas. Dada su fragilidad, sólo se pueden exhibir públicamente durante poco tiempo, razón por la cual estas importantes fuentes de información sobre el aspecto y las vestimentas de los pueblos se difunden principalmente a través de imágenes y por Internet.

Capa de plumas hawaiana

ESTA CAPA DE PLUMAS de pájaro denotaba la importancia y la categoría del portador. En las islas hawaianas de la Polinesia, sólo los varones de la más alta jerarquía lucían ropajes de plumas en ceremonias y en la batalla. La capa está hecha de fibra de olona (*Touchardia latifolia*), en la que se insertaban pequeños grupos de plumas, en filas apiladas unas sobre otras. La plumas rojas son de pájaro 'i'iwi (*Vestiaria coccinea*), y las plumas amarillas y negras proceden del pájaro 'o'o (*Moho nobilis*). Las plumas rojas se reservaban para los hombres de alto rango, y las amarillas eran, por su rareza, las más valiosas.

Los hawaianos regalaron muchas capas y mantos de plumas a los capitanes y tripulaciones de los primeros barcos europeos que llegaron a las islas. Al capitán Cook lo obsequiaron con cinco o seis de ellas durante su última y aciaga visita en 1779. No obstante, no se sabe quién llevó a Gran Bretaña esta capa en concreto.

De Hawái, Polinesia, quizás anterior a 1850 d. C.
Anchura 70 cm
Obsequio de sir A.W. Franks

Capa de oro de Mold

AL IGUAL QUE LA CAPA de plumas hawaiana, esta excepcional capa de la Edad de Bronce revelaba la importancia de quien la vistiera. Se encontró en fragmentos en el interior de una tumba empedrada, alrededor de los restos de un esqueleto. Mucho tiempo después, cuando los conservadores del Museo Británico examinaron las piezas, comprobaron que correspondían a una capa.

La capa es uno de los ejemplos más refinados de orfebrería prehistórica en hoja de oro, de forma y diseño incomparables. Se modeló laboriosamente repujando un único lingote de oro, y después se adornó profusamente con estrías y tachuelas a imitación de sartas de cuentas y pliegues de tejido. Las perforaciones a lo largo del borde superior e inferior indican que se sujetaba a un forro, quizás de cuero, ya desintegrado. Una vez puesta, la capa cubría los antebrazos y limitaba enormemente el movimiento. Por lo tanto, no era apropiada para llevarla diariamente, y lo más probable es que se usara para fines ceremoniales, quizás como símbolo de autoridad religiosa.

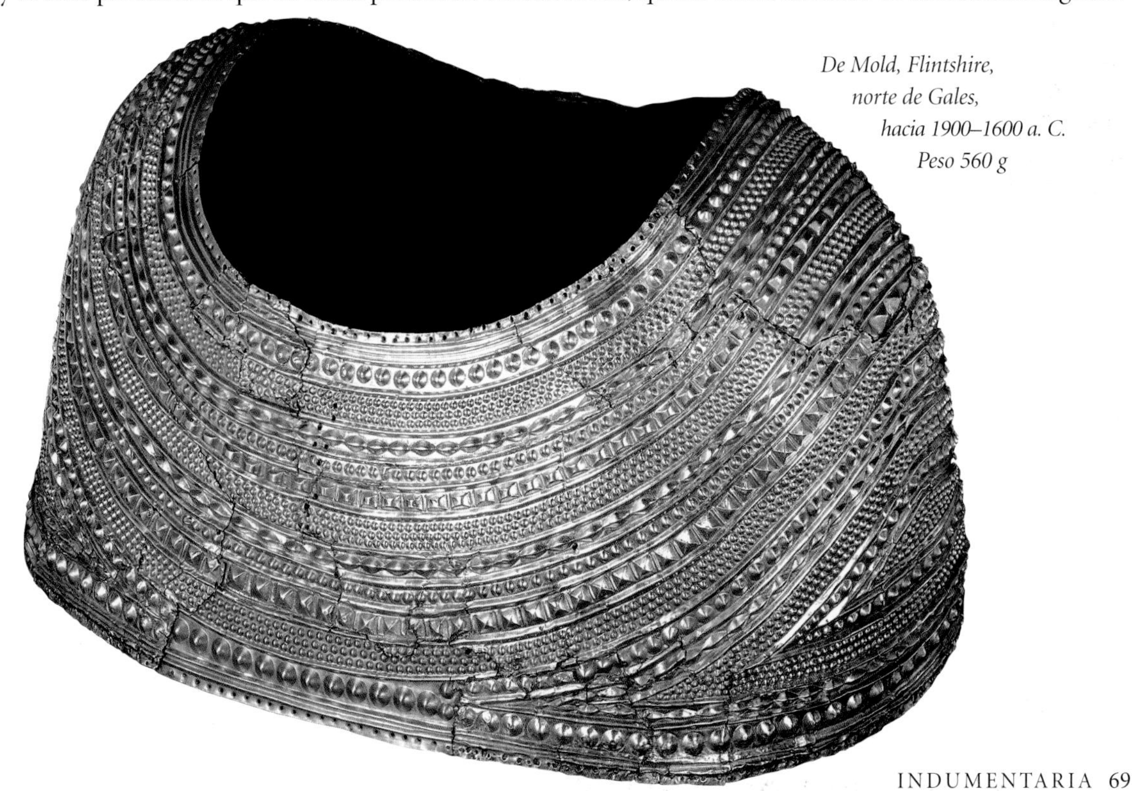

De Mold, Flintshire,
norte de Gales,
hacia 1900–1600 a. C.
Peso 560 g

Busto funerario de piedra de Aqmat

ESTE BUSTO FUNERARIO procede de Palmira, una ciudad que se enriqueció gracias a las caravanas que cubrían la ruta comercial entre el golfo de Arabia y el Mediterráneo. Palmira se incorporó al Imperio Romano a finales del siglo I d. C., aunque quedó destruida en el año 273 d. C., tras dos insurrecciones.

Según la inscripción en arameo, se trata del monumento funerario a una mujer llamada Aqmat. Su efigie, conocida como *nefesh* ('alma' o 'personalidad'), permitía a la propietaria existir en el otro mundo. Además, nos da una idea de la ropa y el elaborado peinado que llevaba una mujer rica de su mundo, así como del tipo de joyas que poseía. Puede que la blancura del vestido de Aqmat sea engañosa, pues estos retratos solían estar profusamente coloreados.

De Palmira (Siria), finales del siglo II d. C.
Altura 50,8 cm

Tesoro de Winchester

ESTE GRUPO DE JOYAS de oro de la Edad de Hierro se descubrió en una colina cercana a Winchester, en Hampshire. Los dos juegos constaban de gruesas anillas para el cuello, llamadas torques, parejas de broches unidos con una cadena y dos brazaletes, todo de oro purísimo.

Las torques son de una elaboración excepcional, y diferentes a todas las demás conocidas de la Edad de Hierro británica, irlandesa o francesa. Una es mayor que la otra, quizás porque se labraron para un hombre y una mujer.

Por desgracia, al contrario que en el caso del monumento de Palmira, no poseemos imágenes de las personas que vivían en la Edad de Hierro en Gran Bretaña ni de sus ropajes, de manera que las joyas, como estas piezas, nos brindan la única prueba de su atavío y apariencia.

De Hampshire, sur de Inglaterra, hacia 75–25 a. C.
Peso (total) 1,160 kg

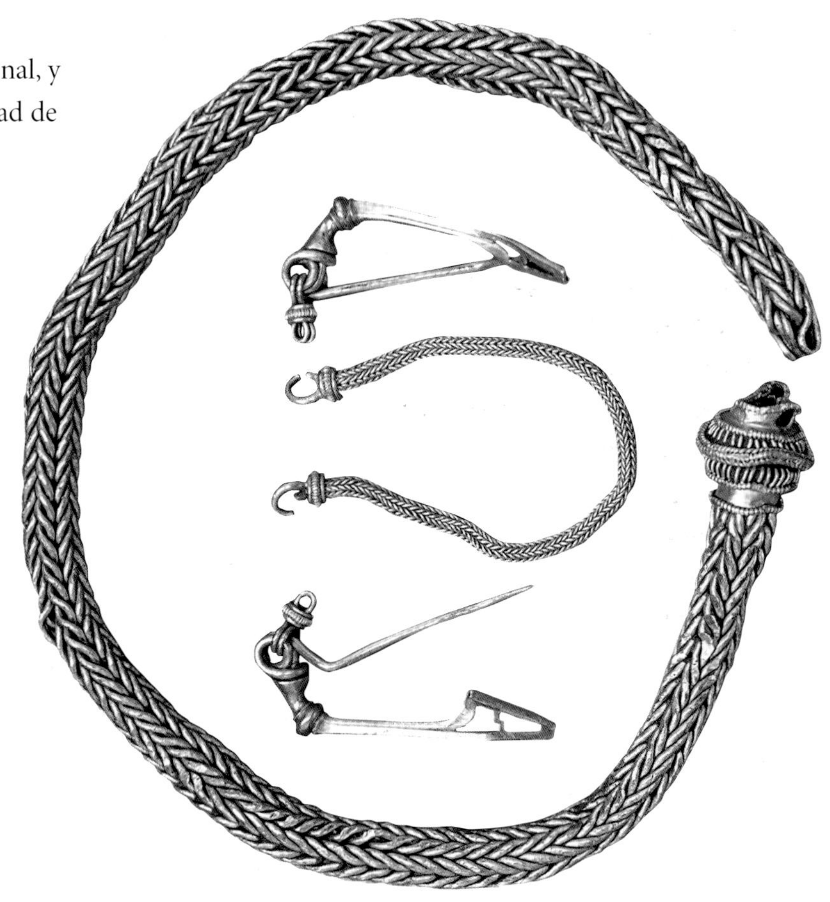

Retrato de momia de una mujer

LOS EGIPCIOS SIGUIERON momificando a sus muertos después de la conquista romana, en el año 30 a. C., pero los aspectos de esta antigua práctica empezaron a mostrar la influencia de la cultura recién llegada. En lugar de los rostros idealizados del arte tradicional egipcio, las momias de este periodo llevan retratos realistas, propios del arte romano. El influjo de Roma también se aprecia en sus ropas.

La mayoría de los retratos se ha conservado de forma independiente a sus correspondientes momias, por lo que normalmente no conocemos la identidad de los retratados. No obstante, la ropa, las joyas y el peinado de las imágenes indican aproximadamente la fecha de su muerte. Los que lleva esta mujer apuntan a que falleció durante el reinado del emperador romano Nerón (54–68 d. C.). El retrató se pintó con encáustica, una mezcla de pigmentos y cera de abeja con agentes endurecedores, como resina o huevo.

De Hawara (Egipto), 55–70 d. C.
Altura 41,6 cm
Excavado por W.M. Flinders Petrie
Obsequio de la National Gallery (Londres) (1994)

Colgante del tesoro de Egina

El tesoro de egina es uno de los grupos de joyas más importantes que se conservan de la Edad de Bronce griega (hacia 3200–1100 a. C.). Se encontró en la isla griega de Egina, pero actualmente se cree que se labró en talleres de la Creta minoica. Se sabe que en Egina vivieron colonos minoicos, y es posible que este tesoro proceda de una o varias de sus tumbas.

Este colgante representa a un dios cretense sobre un campo de loto, con una oca agarrada por el cuello en cada mano. Por detrás se curvan estilizados cuernos de toro, un motivo habitual en la iconografía religiosa minoica. Esta composición, llamada "Señor (o Señora) de los Animales", indica que se trata de una deidad que somete a los animales y posee control sobre la naturaleza. No es frecuente ver a un dios minoico en esta pose, pues habitualmente la figura central es una diosa.

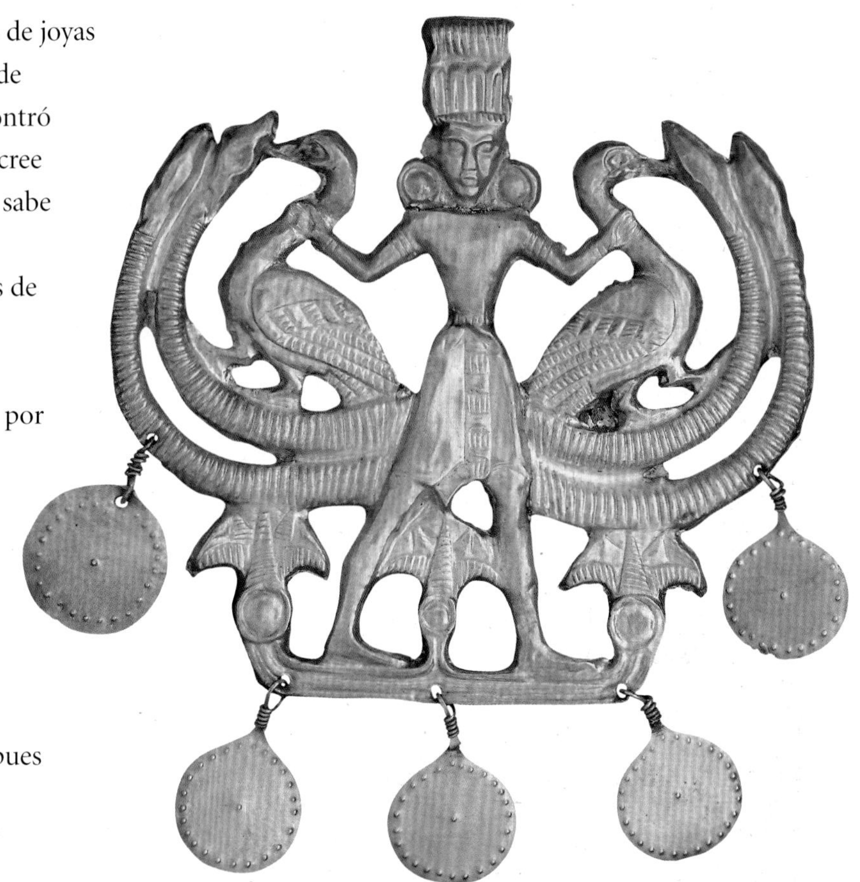

Minoico, encontrado en Egina (Grecia), 1850–1550 a. C.
Altura 6 cm

Broche Fuller

ESTE ESPLÉNDIDO BROCHE se creó y se lució en Inglaterra en la misma época en la que el broche de la página siguiente se llevaba en Irlanda. Está elaborado en hoja de plata repujada, con incrustaciones de nielado, y decorado con la representación más antigua conocida de los cinco sentidos. En el centro está la vista, que durante la Edad Media se consideraba el más importante de los sentidos. La rodean: el gusto, con la mano en la boca; el olfato, de pie entre dos plantas altas; el tacto, que se frota las manos; y el oído, con la mano en la oreja.

Durante un tiempo se creyó que este broche era una falsificación, pero, tras un nuevo examen, se confirmó su autenticidad gracias a las incrustaciones de nielado, de un tipo que únicamente se usaba en la Alta Edad Media. No sólo no se trata de una falsificación: el broche podría proceder de los talleres de la corte del rey Alfredo el Grande (muerto en 899 d. C.).

Anglosajón, de Inglaterra, finales del siglo IX d. C.
Diámetro 1,4 cm
Parte obsequio, parte venta del capitán A.W.F. Fuller

Broche Londesborough

Este gran broche de plata y oro para manto se creó en Irlanda hace más de mil años. Está decorado al estilo del arte celta "insular", habitual en Irlanda en aquella época, con una mezcla de elementos celtas, germánicos y clásicos. Lo cubren formas complejas de entrelazados, espirales, motivos de animales y aves. Extrañamente, estos delicados adornos se moldearon a la vez que el cuerpo del broche, en lugar de soldarse posteriormente sobre él. El efecto brillante se resaltó con el uso del tallado, que se aprecia sobre todo en los paneles del entrelazado. Los dos remaches en forma de L en las esquinas superiores de la aguja llevaban incrustaciones de cristal azul. El reverso del broche estaba decorado con ámbar y dos discos de bronce dorado encajados, con motivos de trisquel celta.

El broche lleva el nombre del I barón de Londesborough, de cuya colección procede.

De Irlanda, siglos VIII–IX d. C.
Longitud (aguja) 24 cm
Diámetro (aro) 10,2 cm

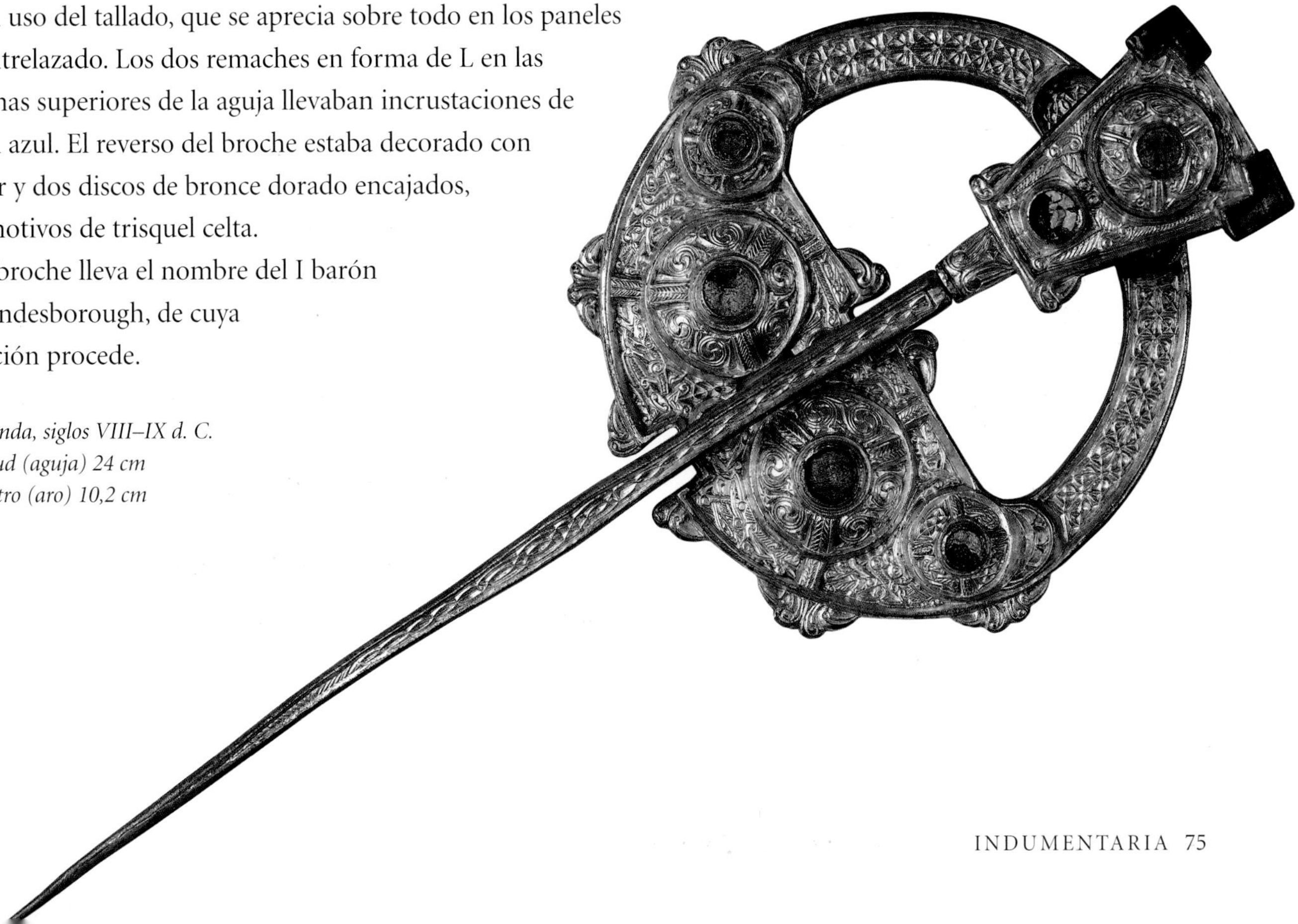

Pectoral de oro

El oro tenía un gran simbolismo en las creencias de los indios americanos. El metal precioso era muy apreciado en América del Sur por su durabilidad y sus asociaciones con el sol. Mucho antes de la conquista española, los orfebres nativos habían desarrollado una gran habilidad para elaborar objetos de oro, mediante técnicas como el repujado, el vaciado y el chapado.

Este adorno pectoral, repujado y con relieves, es un ejemplo de dichas artes orfebres. Su forma recuerda las alas desplegadas de un ave de presa, como el águila, asociada en la religión amerindia con los poderes masculinos y generativos del sol. La cara humana situada en el centro, por tener los ojos cerrados, podría representar a un chamán o sacerdote en trance. Sus pensamientos no se dirigen hacia el mundo físico exterior, sino hacia dentro, hacia el ámbito espiritual.

De Calima (Colombia), 100–1500 d. C.
Anchura 36 cm

Gran torques de Snettisham

NUMEROSAS CULTURAS a lo largo de la historia han tenido en gran estima las joyas grandes e impactantes elaboradas en metales preciosos. Se solían llevar sobre todo alrededor del cuello o a través del pecho, para realzar la cabeza del portador.

Este objeto es una argolla de cuello, o torques, elaborada en Gran Bretaña con gran técnica y minuciosidad hace más de 2.000 años. Contiene un poco más de un kilo de oro mezclado con plata, y es uno de los objetos de oro más elaborados jamás fabricados en la antigua Europa. Consta de 64 hilos, cado uno de 1,9 mm de anchura. Los hilos se enroscaron de ocho en ocho para conseguir ocho cuerdas de oro distintas. Todas ellas se retorcieron unas alrededor de las otras para conseguir la torques definitiva. Los extremos de la torques se moldearon en hueco y se soldaron posteriormente a las cuerdas.

Encontrada en Ken Hill, Snettisham, Norfolk (Inglaterra), hacia 75 a. C.
Diámetro 20 cm
Peso 1,080 kg
Obsequio de Art Fund

Brazalete de oro con cabezas de grifos

ESTE GRAN BRAZALETE de oro forma parte de una pareja. Los espacios huecos contenían incrustaciones de cristal o piedras semipreciosas. Está confeccionado al estilo típico de la corte imperial de los antiguos persas aqueménidas. Brazaletes similares aparecen como ofrendas tributarias en relieves de su capital, Persépolis, en Irán. El escritor griego Jenofonte (nacido hacia 430 a. C.) explicó que los brazaletes se contaban entre los artículos considerados dádivas de honor en la corte persa.

Este brazalete formaba parte del tesoro Oxus, la colección más importante de oro y plata que nos ha llegado del periodo aqueménida (550–331 a. C.). No conocemos el lugar exacto en el que se encontró el tesoro, pero posiblemente se halló en una bifurcación del río Oxus.

De la región de Takht-i Kuwad (Tayikistán), siglos V-IV a. C.
Altura 12,8 cm
Legado por sir A.W. Franks

Fíbulas de oro

ESTAS PESADAS FÍBULAS de oro se encontraron en el famoso barco funerario de Sutton Hoo, posiblemente la tumba de Redvaldo, poderoso soberano del reino de Estanglia. Originalmente formaban parte de una armadura ligera, puede que confeccionada en cuero, pues no hay rastro de ella en el enterramiento.

La decoración de las fíbulas, de una ejecución perfecta, consta de cientos de celdillas individuales de oro, recubiertas de granate, cristal millefiori y vidrio opaco de un azul intenso. El llamativo motivo de jabalíes entrelazados está elaborado con los mayores granates de la Inglaterra anglosajona que se conservan. Sus poderosas espaldas están hechas de grandes placas de millefiori; los colmillos, de cristal azul; y las cerdas de las crestas y ensortijados rabos se resaltan delicadamente con granates pequeños. El jabalí, un animal respetado por su fiereza, fuerza y valor, puede simbolizar aquí las cualidades de un guerrero.

Del montículo 1, Sutton Hoo, Suffolk (Inglaterra), principios del siglo VII d. C.
Longitud 12,7 cm
Anchura 5,4 cm
Obsequio de la
Sra. E.M. Pretty

Penacho de Becerro Amarillo

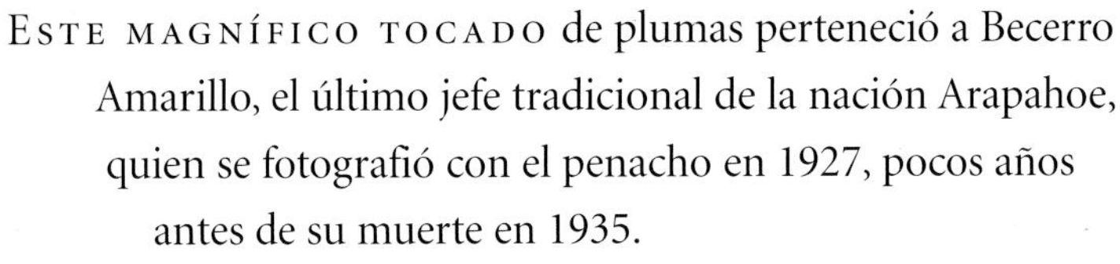

Este magnífico tocado de plumas perteneció a Becerro Amarillo, el último jefe tradicional de la nación Arapahoe, quien se fotografió con el penacho en 1927, pocos años antes de su muerte en 1935.

Los arapahoe, que se llamaban a sí mismos *Inunaina* ('Nuestro pueblo'), poseían una sociedad militar altamente organizada, que concedía gran importancia a la jerarquía por edades y a los honores en la batalla. El traje tradicional incluía camisas de guerra con flecos y tocados de plumas como éste. Eran formas diversas de exhibir las distinciones en la guerra (al igual que los mechones de cabellera arrancados a sus enemigos abatidos), todas ellas demostraciones del coraje del portador. Este penacho está confeccionado sobre la base de un casquete de paño, con una banda de intrincado y colorido estampado de cuentas en la frente. Las plumas a él sujetas proceden de la cola de un águila dorada y son muy preciadas. Llevan las puntas decoradas con pelo, símbolo de mechones de cabellera. En el siglo XIX, las plumas tenían un gran valor, hasta el punto de que una docena de ellas valía un poni.

Arapahoe, de América occidental, Norteamérica,
hacia 1927 d. C.
Altura 75 cm
Obsequio de G.M. Mathews

Tocado de astas de ciervo rojo

Se cree que este tocado adornó las cabezas de antiguos bretones hace casi 10.000 años. Los agujeros pudieron servir para sujetarlo con una correa de piel. Puede que lo llevaran los cazadores a modo de camuflaje, pero es más probable que formara parte del atuendo lucido en ocasiones especiales, quizás durante ceremonias religiosas.

En Yorkshire, en el yacimiento mesolítico de Star Carr, se excavaron fragmentos de cráneo y cornamenta de veintiún ciervos rojos. Los habían desollado con herramientas de sílex y, a continuación, habían partido los huesos que formaban la parte superior del morro y recortado los bordes del resto del cráneo. También tenían rotas las astas, y los fragmentos restantes se habían afinado y recortado por la base. Los dos agujeros de la parte posterior se hicieron cortando y raspando el hueso por ambos lados.

De Star Carr, valle de Pickering, norte de Yorkshire (Inglaterra), mesolítico temprano, hacia 7500 a. C.
Altura 15 cm
Donado por el profesor J.G.D. Clark

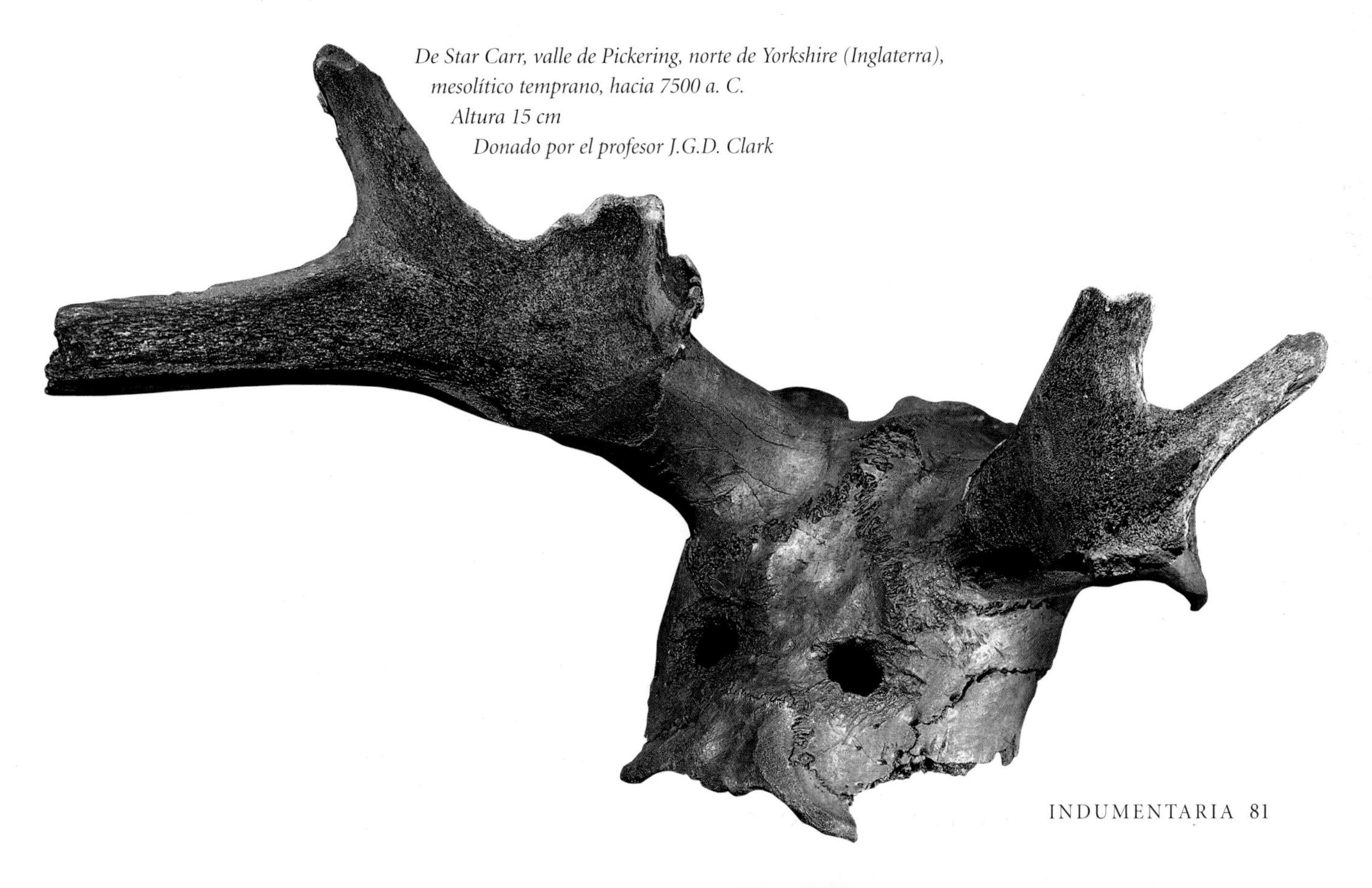

3 Gobernantes

En la inmensa galería de Esculturas Egipcias del Museo Británico, imponen por su monumentalidad numerosos fragmentos de efigies de faraones, desde cabezas colosales como la de Ramsés II hasta, quizás mucho más revelador, un gran puño de granito. Estos fragmentos nos recuerdan que los gobernantes del mundo entero han creado imágenes poderosas de ellos mismos para celebrar o conmemorar su poder, potestad y logros. A veces, estas imágenes han sobrevivido miles de años a sus muertes. En todo el museo se hallan ejemplos de diversas épocas y lugares, una pequeña selección de las cuales mostramos aquí. Sin embargo, como sugiere la pequeña talla de marfil que abre este capítulo, las imágenes de los gobernantes y sus poderes pueden ser mucho más íntimas y perseguir una amplísima variedad de propósitos.

Pieza de ajedrez (rey) Lewis

Las imágenes que ocupan estas páginas raramente son retratos realistas. Normalmente presentan una imagen idealizada, a veces muy alejada del auténtico aspecto de la persona representada. Raras excepciones son el medallón del emperador bizantino Juan VIII Paleólogo, considerado el primer retrato en medalla del Renacimiento europeo, y el empeño de los soberanos mogoles de la India por quedar plasmados en retratos fidedignos. Los *ndop* de madera, por ejemplo, no pretendían ser representaciones naturalistas, sino plasmaciones del espíritu del rey y la encarnación de los principios de la realeza.

Las imágenes que presentamos aquí se crearon por muy diferentes razones. Algunas, como el busto de Alejando Magno y la efigie del primer shogun japonés, se realizaron siglos después de la muerte de los representados, para conmemorar sus gestas. Otras las encargaron los propios gobernantes para que sus logros no murieran con ellos. La estatua de 3.600 años de antigüedad de Idrimi, rey de Alalakh, en la actual Turquía, es muy llamativa visualmente, pero también contiene una inscripción que narra la historia del soberano. Las dos imágenes de los emperadores romanos de este capítulo se cuentan entre las muchas estatuas similares que se erigieron en todo el Imperio Romano, no sólo para recordar al pueblo quién gobernaba (como en el caso de las efigies de la reina Victoria en todo el Imperio Británico), sino también para que sirvieran de centro del culto religioso que rodeaba al emperador, un elemento central en la administración del imperio.

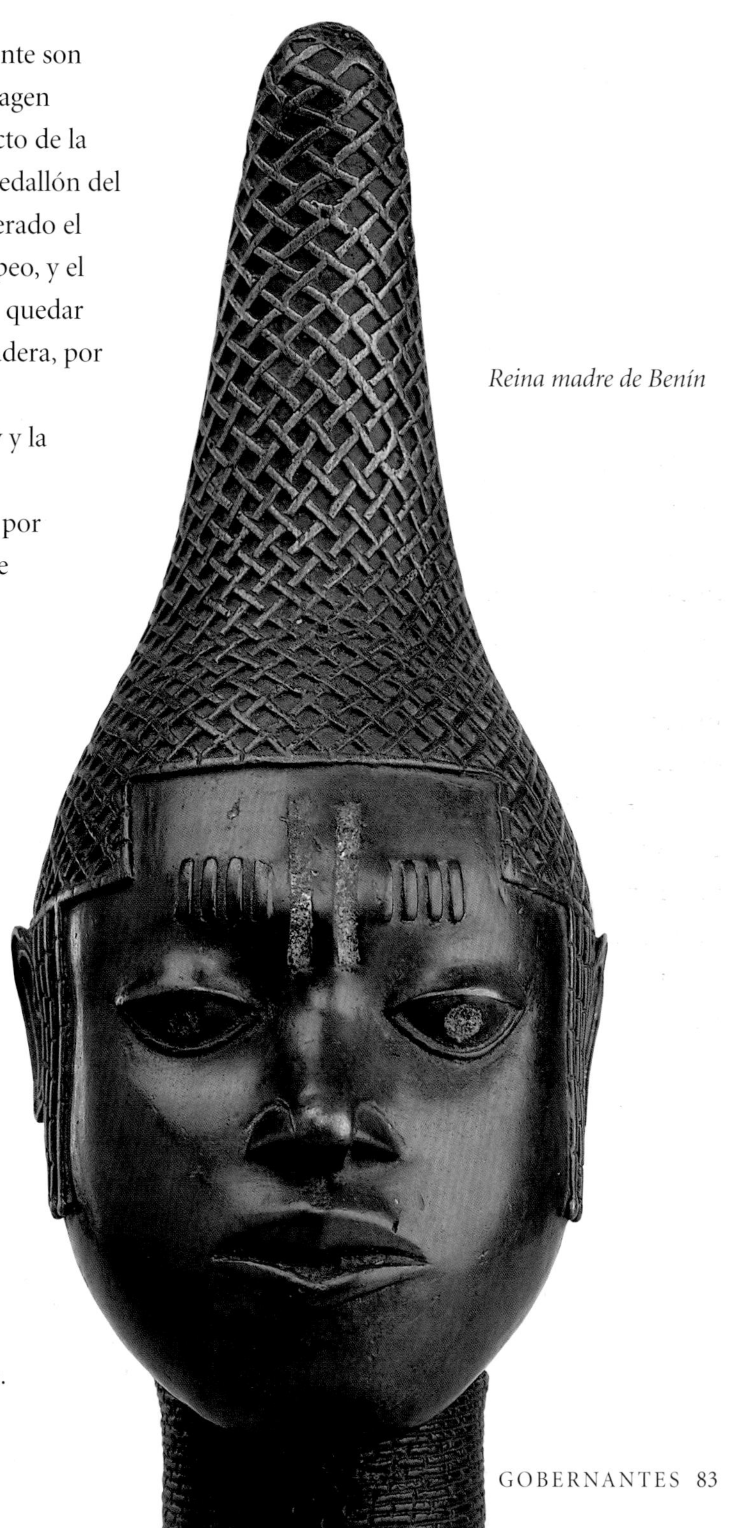

Reina madre de Benín

Estatuilla de marfil de un rey

La figurita, descubierta en el Templo de Osiris en Abidos, es uno de los primeros retratos "al natural" de un rey egipcio que se conservan. No es posible asociarla a ningún soberano en concreto, aunque no muy lejos del templo hay tumbas de varios reyes del mismo periodo.

El rey lleva la corona blanca del Alto Egipto y largas vestiduras. El artista destaca el encorvamiento de la espalda, quizás para representar la avanzada edad del retratado. La toga, adornada con un estampado sutil en forma de diamantes entre líneas paralelas, se corresponde con el tipo de indumentaria que vestían los reyes durante el *sed* o fiesta de la coronación, celebrada cuando un soberano llevaba treinta años en el trono, y cada tres años a partir de entonces. La figurita brinda así una prueba de que este festival se celebraba en Egipto desde el principio de la era histórica.

Del templo de Osiris, Abidos (Egipto)
Periodo dinástico antiguo, quizás mediados de la I dinastía (hacia 3000 a. C.)
Altura 8,8 cm
Obsequio de la Fundación para la Exploración de Egipto (1903)

Busto colosal de Ramsés II

ESTE BUSTO DE RAMSÉS II, quien reinó en Egipto de 1279 a 1212 a. C., procede del Ramesseum, su templo funerario en Tebas. Con sus 7,25 toneladas de peso, se trata de una de las mayores esculturas egipcias que alberga el Museo Británico.

El colosal fragmento, que representa una imagen idealizada de un Ramsés joven, formaba la parte superior de una estatua situada originalmente en el segundo patio del templo. Esta enorme efigie pertenece a la prolongada tradición de celebrar el poder del faraón erigiendo estatuas monumentales.

El busto, que llegó a Gran Bretaña en 1818, inspiró el poema *Ozymandias* de Percy Bysshe Shelley:

… "Mi nombre es Ozymandias, rey de reyes:
¡Contemplad mis obras, oh poderosos, y
abandonad toda esperanza!".
Nada permanece. Alrededor de los
despojos
de aquel colosal naufragio …

Del templo funerario Ramesseum de Tebas (Egipto),
XIX dinastía, hacia 1250 a. C.
Altura 2,668 m
Colección Henry Salt

Cabeza conmemorativa de la reina Idia

ESTA CABEZA DE LATÓN representa a la reina madre Idia, cuyo hijo Esigie era el rey (oba) del antiguo pueblo Benín hacia 1504–10. Benín fue una de las potencias más importantes de África occidental, en la zona que ahora ocupa la región sudoccidental de la moderna Nigeria. Su riqueza ha quedado plasmada en muchas formas artísticas, como figuras y placas de latón. Entre los objetos más bellos figuran estatuas de metal fundido de la familia real como esta cabeza.

La reina Idia fue una excelsa guerrera que luchó por su hijo y colaboró de forma importante en sus campañas militares. Este retrato en latón se creó tras su muerte para depositarlo en su altar. Se dice que oba Esigie instituyó el título de "reina madre" y estableció la tradición de este tipo de efigies para honrar los poderes militares y rituales de Idia. Las cabezas se colocaron en altares en el palacio y en la residencia de la reina madre.

De Benín (Nigeria) principios del siglo XVI d. C.
Altura 40 cm

Talla de la reina Victoria

Los yoruba de Nigeria son famosos por su arte para tallar la madera, una tradición con cientos de años de antigüedad. Con ella elaboran máscaras ceremoniales, objetos cotidianos y esculturas de motivos seglares y religiosos.

Un artista yoruba creó esta figura de madera de la reina británica Victoria (r. 1837–1901). En 1861, la ciudad de Lagos se convirtió en colonia británica y comenzó oficialmente la administración colonial de Nigeria. Como en otras partes del imperio, las fotografías oficiales y no oficiales de la reina Victoria se encontraban presentes por toda Nigeria. Muy probablemente, los talladores yoruba las usaron como referencia. El resultado fueron figuras tridimensionales de la reina, como la de aquí, con ropajes y poses europeas, pero al estilo tradicional de los yoruba.

Pueblo yoruba (Nigeria), siglo XIX d. C.
Altura 37 cm
Donado por H.V.A. Lambert

Mohur de oro, en memoria del padre de un emperador mogol

El emperador mogol de la India, por tradición, repartía monedas especiales (*nazarana*) y medallas conmemorativas en el aniversario de su entronización o en Año Nuevo. La ceremonia de Año Nuevo, que se celebraba al principio del año solar, servía de excusa para exhibir la riqueza de los tesoros del emperador. Dichas monedas y medallas, con sus motivos poco habituales y excepcional tamaño, no estaban destinadas a circular entre el público.

En 1605, el primer año de su reinado, Jahangir (r. 1605–27) emitió una moneda de oro *mohur* con un retrato de su padre, Akbar (r. 1556–1605). La inscripción en árabe que acompaña el delicado relieve reza "Dios es grande, próspero año 1". El gran sol que ocupa el reverso de la moneda hace referencia a la era Ilahi que inauguró Akbar, basada en el calendario solar.

De la India, acuñada en 1014 a. h./1605 d. C.
Diámetro 2,3 cm
Peso 10,86 g
Obsequio de Art Fund y H. Van den Bergh

Manohar: *El emperador Jahangir recibe a sus dos hijos*

Esta pintura de álbum en guache sobre papel representa al emperador mogol Jahangir (r. 1605–27), quien ordenó acuñar el *mohur* de oro de la página anterior. Jahangir aparece aquí bajo un palio lujosamente decorado, mientras sus hijos Khusrau y Parviz le sirven comida y bebida. A los pies de Jahangir hay una inscripción que reza *Camal Manuhar* (obra de Manohar). Manohar era un artista que empezó a trabajar para la corte durante el reinado de Akbar (1556–1605), padre de Jahangir. Su estilo alcanzó madurez en la era de Jahangir, del cual pintó al menos diez retratos.

Los emperadores mogoles, quizás inspirados por el arte europeo, fomentaron entre sus artistas la elaboración de retratos especialmente realistas. *Chihranami*, o representaciones de rostros, era la categoría pictórica más apreciada del taller mogol. A menudo, se ordenaba a los artistas que retocaran las caras de las figuras que aparecían en pinturas antiguas.

De la India, hacia 1605–06 d. C.
Altura 20,8 cm
Trasladado del Departamento de Manuscritos y Libros Impresos Orientales de la Biblioteca Británica

Pieza de ajedrez de marfil con forma de rey sentado

Éste es uno de los dos reyes de un ajedrez medieval, de los varios que se descubrieron en extrañas circunstancias en las proximidades de Uig, en la isla de Lewis en las Hébridas Exteriores, en algún momento anterior al 11 de abril de 1831.

El rey se ha tallado sentado en su trono, con la corona ceñida y una espada sobre el regazo. Cada uno de los reyes de estos ajedreces es ligeramente diferente, pero los respaldos de los tronos están todos ellos profusamente decorados. El ajedrez llegó a Europa procedente del mundo islámico y se popularizó entre la aristocracia a finales del siglo XI. Los ajedreces de Lewis, con sus reyes, reinas, alfiles, caballos, torres y peones sin rostro, encarnan a la perfección la sociedad feudal de la Europa medieval.

Los ajedreces Lewis están elaborados en marfil de morsa y dientes de ballena, muy trabajados. Probablemente se tallaron en Noruega y quizás pertenecieran a un mercader que recorría la ruta entre Noruega e Irlanda.

Encontrado en la isla de Lewis, Hébridas Exteriores (Escocia)
Posiblemente elaborado en Noruega, hacia 1150–1200 d. C.
Altura aprox. 10 cm

Dintel de caliza

ESTE DINTEL, considerado una obra maestra del arte maya, forma parte de una serie de tres paneles procedente de la estructura 23 de Yaxchilán (México). La escena representa un ritual de derramamiento de sangre, en el que participan el rey Escudo Jaguar II y su esposa K'ab'al Xook. El rey sostiene una antorcha flameante sobre su esposa, mientras ella se perfora la lengua con una cuerda llena de espinas, e hilos de sangre le escurren desde la boca.

La escena está tallada con exquisita minuciosidad, y en ella se aprecian los bordados de los ropajes del rey y la reina y la complejidad de sus joyas y tocados. Los dos primeros glifos situados en la parte superior del dintel indican el tipo de ritual y la fecha de su ejecución (709 d. C.). El tercero y último representa el glifo emblema (el nombre de la ciudad en jeroglíficos mayas) de Yaxchilán. El texto de la izquierda contiene el nombre y los títulos de la reina.

Maya, de Yaxchilán (México), finales del periodo clásico (600–900 d. C.)
Altura 109,7 cm
Obsequio de A.P. Maudslay

Retrato en mármol de Alejando Magno

ESTE RETRATO del gran líder macedonio procede posiblemente de Alejandría, la ciudad que fundó Alejandro tras conquistar Egipto en 332 a. C., y donde fue enterrado.

La mayoría de los retratos de Alejandro se tallaron mucho después de su muerte y comparten características similares. En ellos aparece afeitado, mientras que los retratos anteriores de estadistas o gobernantes griegos eran barbudos. Alejandro fue el primero que se ciñó la diadema real, una banda de tejido anudada en el pelo que se convertiría en el símbolo de la realeza helenística griega.

Tras su muerte, Alejandro fue adorado como un dios, ascendiente de la dinastía Ptolemaica que gobernó Egipto. En sus primeros retratos, de estilo heroico, parece mucho más maduro que en los creados después de su muerte, como este ejemplo. Estos últimos muestran un aspecto más juvenil y quizás un carácter más divino. Alejandro tiene el pelo largo, una inclinación de cabeza más dinámica y la mirada alzada.

Posiblemente de Alejandría (Egipto), siglos II-I a. C.
Altura 38,1 cm

Cabeza de bronce de Augusto

Esta cabeza pertenecía a una estatua del emperador romano Augusto (r. 27–14 a. C.). En 31 a. C. tomó posesión de Egipto y, según informa el escritor Estrabón, sus estatuas se erigieron en las ciudades próximas a la primera catarata del Nilo, en Asuán. Estas estatuas, como muchas otras del Imperio Romano, constituían un recordatorio continuo del poder de Roma y su emperador, que todo lo abarcaba.

La cabeza se encontró en Meroe (Sudán), enterrada delante de las escaleras de un templo kushita. En 29 a. C., los romanos avanzaron hasta Kush, lo que provocó la guerra contra este reino. Es probable que la estatua se hiciera en Egipto y posteriormente, por su importancia simbólica, los asaltantes kushitas la decapitaran y se la llevaran consigo hacia el sur. Enterrar la cabeza delante de las escaleras del templo significaba que se encontraba para siempre a los pies de sus captores.

Romana, de Meroe (Sudán), hacia 27–25 a. C.
Altura 47,7 cm

Plato de plata con la imagen de Sapor II

HACIA EL AÑO 224 D. C., los partos fueron derrotados por Ardacher, descendiente de Sasán, quien dio nombre a la nueva dinastía sasánida de Irán. Uno de sus soberanos más capaces y enérgicos fue Sapor I (240–72 d. C.). Al final de su reinado, el imperio abarcaba desde el río Éufrates al río Indo, e incluía los territorios que actualmente corresponden a Armenia y Georgia.

Este plato de plata dorada es producto de la platería de alta calidad, típica del Imperio Sasánida, que empleaba técnicas muy sofisticadas en relieves y un dorado parcial. Los relieves se crearon cortando las figuras en una fina hoja de plata, repujándolas y, a continuación, soldándolas a la superficie del plato. En esta escena de caza, el rey lleva la corona inconfundible de Sapor II (r. 309–79 d. C.), quien restauró el imperio tras un breve periodo en el que los sasánidas habían perdido gran parte del territorio. La escena de los reyes cazando animales posee una larga tradición en Oriente Próximo.

Sasánida, siglo IV d. C.
Altura 12,8 cm
Donación de sir A.W. Franks

Yelmo del barco fúnebre de Sutton Hoo

ESTE EXTRAORDINARIO casco de hierro se encontró en una tumba de gran riqueza, que contenía un barco y multitud de otros objetos. La tumba pertenecía a un gobernante poderoso, que habría llevado en combate este yelmo, capaz de ocultar los rasgos del portador tras su elaborada máscara.

El yelmo está cubierto de paneles de bronce estañado, y decorado con adornos de animales y escenas heroicas, motivos habituales en la cultura germánica de la época. La máscara facial destaca como la característica más notable del casco. Las cejas de bronce llevan incrustaciones de hilo de plata y granates. Ambas están rematadas con sendas cabezas de jabalí de bronce dorado, símbolo de fuerza y coraje. En la parte superior de la nariz, entre las cejas, se halla una cabeza dorada de dragón, que se une por el morro a otra cabeza de dragón situada en el extremo de la cresta poco pronunciada que rodea el casco. La nariz, las cejas y el dragón forman la figura de un pájaro con las alas desplegadas.

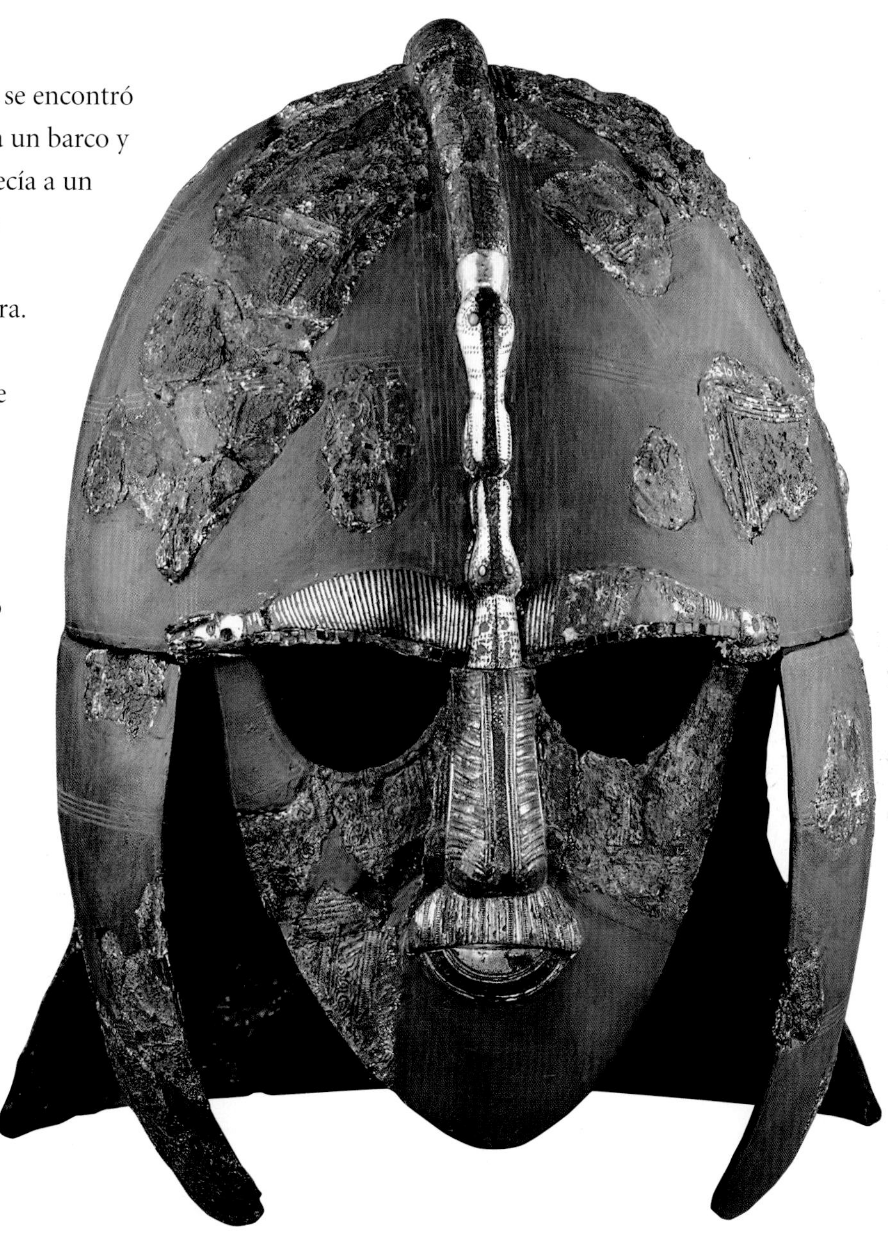

Anglosajón, del montículo 1, Sutton Hoo, Suffolk, (Inglaterra) principios del siglo VII d. C.
Altura 31,8 cm
Obsequio de la Sra. E.M. Pretty

Cabeza de bronce de una estatua del emperador Adriano

La cultura imperial desempeñó una labor importante en la administración de las provincias romanas. Las estatuas y bustos de los emperadores se colocaron en emplazamientos oficiales y públicos por todo el imperio, como símbolo del poder del estado romano, al igual que la cabeza de Augusto que también aparece en este capítulo. Esta cabeza procede de una estatua del emperador Adriano (r. 117–38 d. C.) que posiblemente se alzaba en algún espacio público, por ejemplo un foro, del Londres romano. La estatua completa mediría un cuerpo y cuarto de la altura real del emperador.

Posiblemente, la estatua se levantó para conmemorar la visita de Adriano a Britania en el año 122 d. C., durante la cual comenzó la construcción de la famosa muralla que va del Solway Firth al río Tyne. Adriano viajó por todo el imperio, y sus visitas propiciaron construcciones y reformas. Son muchas las estatuas de mármol que conocemos de él, pero éste es un raro ejemplo de efigie en bronce.

Encontrada en el río Támesis, cerca del puente de Londres, siglo II d. C.
Altura 43 cm

Pisanello (h. 1395–1455): *Medalla de bronce fundido de Juan VIII Paleólogo, emperador de Bizancio*

Esta medalla contiene el retrato del Juan VIII Paleólogo, el penúltimo soberano del Imperio Bizantino. La medalla se acuñó para conmemorar la visita del emperador a la ciudad de Ferrara en 1438 por invitación del papa Eugenio IV, para asistir a un concilio que buscaba unificar las iglesias griega y romana. La peste obligó el traslado del concilio a Florencia en febrero de 1439 y, por lo tanto, el comienzo de esta pieza, por no decir de su total ejecución, se puede fechar con precisión.

El artista, Pisanello, pasó la mayor parte de su carrera en las cortes principescas de Italia. Documentan su presencia en Ferrara los apuntes al natural que efectuó del emperador y su séquito. Se cree que, para la producción de esta medalla, se inspiró en dos medallas de los emperadores romanos Constantino y Heraclio (eran en realidad de factura francesa de principios del siglo XV, pero se tenían por obras antiguas).

Pieza fundida en Ferrara (Italia), hacia 1438–42 d. C.
Diámetro 10,3 cm
Colección de Jorge III

Medallón de oro de Constantino el Grande en oración

EL REINADO DE CONSTANTINO (306–37 d. C.) supuso un momento crucial para la historia de Roma. El emperador creó la ciudad que se convertiría en la capital del Imperio Bizantino (Constantinopla) y adoptó el cristianismo como religión oficial del Estado.

Constantino aparece aquí con la vista hacia el cielo, posiblemente en oración o buscando algún tipo de contacto sagrado. Antiguamente, paganos y cristianos rezaban con los brazos extendidos y mirando al cielo. No se trata de una invención nueva ni específicamente cristiana, como se puede comprobar en los retratos de Alejandro Magno (336–323 a. C.). Constantino establece un vínculo con Alejandro más claro si cabe al aparecer coronado con una diadema, el símbolo griego de la soberanía, en lugar de la corona de laurel romana.

En el reverso del medallón se representa a Constantino luchando despiadadamente contra sus enemigos, mientras la inscripción *GLORIA CONSTANTINI AVG* proclama gloriosa dicha actividad.

Romano, acuñado en Siscia (moderna Sisak, Croacia), 306–37 d. C.
Diámetro 2,4 cm
Peso 6,8 g

Nicholas Hilliard (1547–1619): *Medalla de oro fundida y cincelada de Isabel I*

ESTA MEDALLA CONTIENE una imagen de la reina inglesa Isabel I (r. 1558–1603). Originalmente llevaba perlas colgadas, y pudo ser un regalo de la propia reina a un cortesano predilecto o a un aliado político. Las miniaturas se solían entregar como obsequios de este tipo. Al parecer, el miniaturista y retratista Nicholas Hilliard fue el primer artista inglés que creó medallas en cantidades apreciables.

En el reverso lleva un laurel con el monograma real *ER* (Elizabeth Regina) y una inscripción que se puede traducir como "Ni siquiera el peligro le afecta", una referencia a la leyenda de que el laurel es inmune a los rayos. Muy probablemente simboliza la resistencia de Isabel a la amenaza del catolicismo en el país y en el extranjero. Esta imagen de Isabel I es una más entre las muchas que se crearon en diversos materiales durante su reinado.

Fundida en Londres (Inglaterra) hacia 1580–90 d. C.
Altura 5,6 cm
Peso 57,57 g
Colección Edward Hawkins

Minamoto no Yoritomo en vestiduras cortesanas

SE TRATA DE UNA COPIA de una pintura en un rollo colgante, perteneciente a un grupo de tres, que al parecer representa a Minamoto no Yoritomo (1147–99), el primer shogun de Japón. Tras su victoria en las guerras civiles contra el clan Taira en 1185, Yoritomo fundó el shogunato Kamakura, un nuevo sistema de gobierno militar, con el que se puso fin a un periodo de 600 años de domino centralizado de la corte imperial de Kioto.

Yoritomo aparece con los ropajes protocolarios de la corte y un tocado, y con la tabla ceremonial en la mano. De la cintura sobresale la ornamentada empuñadura de una espada. La inscripción en cartuchos de colores en lo alto de la imagen celebra su poderío militar y su autoridad política.

Un teoría reciente apunta a que los tres rollos originales podrían representar en realidad a la dinastía Ashikaga (1336–1573). La inscripción que contiene esta copia identifica al modelo como Yoritomo, pero análisis recientes indican que posiblemente se incluyó mucho más tarde, en el periodo Edo (1600–1868). La identidad del representado sigue debatiéndose en la actualidad.

De Japón, periodo Kamakura, siglo XIV d. C., o posterior
Altura 145 cm
Adquirida con la ayuda de G. Eumorphopolous y Art Fund

Ndop, talla en madera del rey Shyaam aMbul aNgoong

LOS *NDOP* SON "retratos" conmemorativos de la realeza que esculpió el pueblo kuba de África central. No se trata de efigies realistas: pretenden representar el espíritu del rey y los principios de la realeza. Los *ndop* se tallaron en el siglo XVIII, por lo que se incluyen entre los ejemplos más antiguos de la escultura africana en madera que han sobrevivido hasta nuestros días.

Los retratos en madera formaban parte de los "amuletos reales", esculturas que contenían los poderes mágicos en vida del rey. Los amuletos se guardaban en un altar y, cuando el rey se encontraba ausente de la capital, el *ndop* se frotaba con aceite para que conservara la esencia real en el centro del reino.

Un pequeño emblema situado en el pedestal de la escultura identifica al soberano representado. Este *ndop* corresponde al rey Shyaam aMbul aNgoong, fundador de la dinastía Bushoong, e incluye su emblema, un tablero mancala.

Kuba-Bushoong, de la República Democrática del Congo, probablemente de finales del siglo XVIII d. C.
Altura 54,5 cm
Obsequio de Emil Torday

Estatua de Idrimi

ESTA EXTRAORDINARIA estatua de magnesita representa a Idrimi, soberano de Alalakh, ciudad estado de la antigua Siria, hacia 1500 a. C. Contiene una inscripción en escritura cuneiforme que informa de su biografía.

Idrimi pertenecía a la casa real de Aleppo y, tras una revuelta fallida, huyó con su familia a Emar (actual Meskene), a orillas del río Éufrates. Resuelto a reinstaurar el poder familiar, Idrimi puso rumbo a Canaán, donde reunió tropas y organizó una expedición por mar para recuperar sus territorios. Finalmente se convirtió en vasallo del rey Parattarna de Mitanni, quien lo reinstauró en el trono de Alalakh. Según el texto, Idrimi había reinado treinta años cuando ordenó la inscripción de la estatua, aunque se ha sugerido que posiblemente la inscripción se añadió unos 300 años después para reafirmar el orgullo nacional. El texto concluye con maldiciones a quien ose destruir la estatua y bendiciones a quienes la honren.

De Tell Atchana (antigua Alalakh), moderna Turquía,
siglo XVI a. C.
Altura 104,1 cm
Excavado por Leonard Woolley

Camafeo con un retrato de Augusto

ESTE CAMAFEO se talló en tres capas de sardónice. Las diferentes capas de color de la gema se esculpieron para crear una imagen en relieve que contrasta con el fondo. La diadema de joyas se añadió en época medieval.

El camafeo es un fragmento de un retrato mayor del primer emperador romano, Augusto (27 a. C. –14 d. C.), proclamado gobernante único de Roma tras una serie de sangrientas guerras civiles. Aquí aparece con pose majestuosa, un cinturón de espada, símbolo de su autoridad militar, y la égida protectora (placa pectoral de piel de cabra) normalmente atribuida a la diosa Minerva. Las representaciones del emperador imbuido de atributos divinos seguramente sólo se mostraban a unos pocos elegidos. La circulación general de este tipo de imágenes habría suscitado una gran polémica, pues la sociedad romana de la época seguía recelando de la monarquía, y muchos confiaban en el regreso de la república.

Romano, hacia 14–20 d. C.
Altura 12,8 cm
Colecciones Strozzi y Blacas

4 Violencia y guerra

La violencia es una constante, si bien lamentable, en la vida humana. Los objetos usados en la guerra y en los deportes violentos, o que celebran o conmemoran la guerra, las virtudes marciales y la violencia, conforman necesariamente una parte importante de la colección del Museo. De hecho, varios de los artefactos expuestos en el Museo guardan relación con el arte marcial, como las armaduras samurái o la armadura de cocodrilo del Egipto romano. En la elaboración de estas piezas se invirtieron fortunas y técnicas considerables, ya fuera para su uso práctico o para su exhibición. Ni que decir tiene, muchas obras de arte impactantes se han creado como reacción a las emociones intensas que suscita el contacto con la violencia.

En el Museo se expone una enorme variedad de espadas, otras armas y piezas de armaduras del mundo entero, aunque sólo unas cuantas se incluyen en estas páginas. Algunas dan testimonio de una enorme pericia, como la de los creadores de las antiguas espadas japonesas,

Armadura japonesa de samurái

mientras que otras dejan patentes los avances técnicos alcanzados a lo largo de los siglos. Muchos objetos de alta artesanía vinculados con la guerra se crearon para exhibirlos y no para usarlos, aunque otros se utilizaron en combate.

A lo largo de los siglos, muchas culturas han celebrado las habilidades, virtudes y funciones de sus guerreros, ya fueran aguerridos individuos o ejércitos invencibles. La conmemoración de las conquistas y victorias de reyes y emperadores representa otra característica común. Algunas de las imágenes más tempranas de gobernantes del antiguo Egipto y Mesopotamia los muestran victoriosos en la batalla, y esto se convirtió en norma en las representaciones de los soberanos durante miles de años. Sin embargo, como demuestran las baldosas de Chertsey que figuran en este capítulo, la imagen del rey victorioso dando muerte a su enemigo puede ser falsa. Éstas y otras representaciones muestran también la, a menudo, estrecha relación entre la posición de una persona en la sociedad y su condición de guerrero, ya sea un caballero medieval, como en el sello de Richard Fitzwalter, o un hoplita de una antigua ciudad griega. Tal conexión podría ser el principal factor que defina el rango o la posición social de un individuo, pese a que sólo una escasa proporción de la población se identifique a sí misma como principalmente guerrera. Aunque también es cierto que, en muchas culturas del mundo entero, llevar armas o convertirse en soldado se consideraba (y todavía se considera) simplemente propio de la edad adulta.

Los objetos de este capítulo, como muchos otros en todo el Museo, demuestran el papel que continuamente han desempeñado la violencia y la guerra en la historia de la humanidad. Pero también hay otras piezas, como el Trono de Armas, que nos recuerdan que los humanos sabemos celebrar la paz, además de la guerra.

Ánfora griega de figuras negras

Daga ceremonial de bronce

Un hombre que paseaba por un bosque en East Anglia (Inglaterra) tropezó literalmente con este *dirk* (daga corta) en 1988. Lo habían clavado verticalmente en la turba blanda hacía 3.500 años, pero la erosión había dejado expuesta la placa de la empuñadura, que cortó al hombre en el pie.

El "arma" tenía la misma forma que los *dirks* que se usaban en Gran Bretaña a principios de la Edad de Bronce Intermedia, pero era mucho mayor. Los filos de la hoja estaban perfectamente formados, pero deliberadamente romos, y en el extremo no había agujeros de remaches para sujetar un mango. Evidentemente, el *dirk* no se había creado para usarlo como arma, sino que probablemente tuvo un uso ceremonial.

Esta daga es el único ejemplar en su género encontrado en Gran Bretaña, pero otras cuatro se han descubierto en Europa continental. Las cinco son tan similares que posiblemente salieran de la misma fragua.

De Oxborough, Norfolk (Inglaterra), 1450–1300 a. C.
Longitud 70,9 cm
Peso 2,368 kg
Adquirida con la ayuda de Art Fund

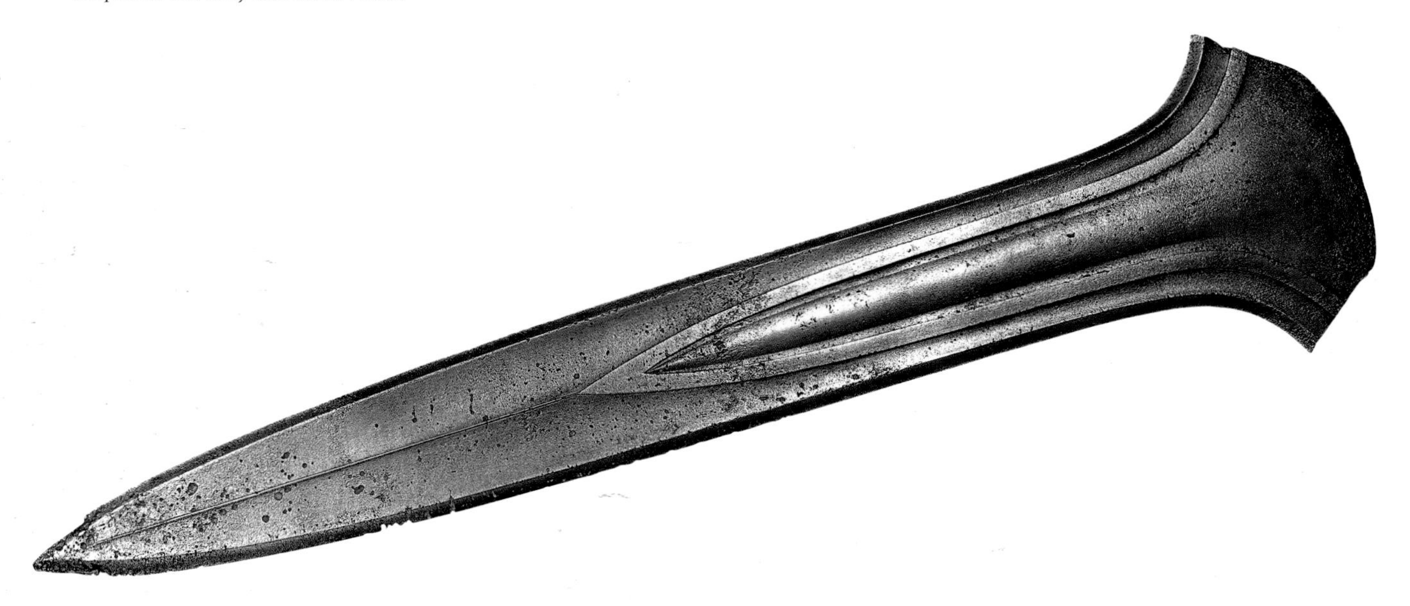

Hoja de espada de samurái

Las hojas de los forjadores de espadas japoneses del periodo Heian (795–1285) en adelante son famosas por su excelencia técnica y estética. Se fabricaban doblando y martilleando repetidamente un trozo de hierro, que se calentaba y por último se enfriaba en agua para endurecer el filo. Cada hoja se identificaba por la veta del metal y el *hamon*, el dibujo que creaba la estructura cristalina del filo cortante.

Esta hoja *tachi* lleva la firma "Bishi Osafune Moro (Kage)" (Morokage de Osafune, provincia de Bizen). Morokage fue uno de los forjadores del siglo XIV que se trasladaron de Ōmiya (Kioto) a Osafune. La hoja tiene la longitud y delgadez típicas de Osafune durante el reinado de Ashikaga Yoshimochi (1394–1428). Contiene una mezcla de *hamon* de los tipos clavo y *gunome* (ondulación abrupta).

De la provincia de Bizen (Japón),
periodo Muromachi,
hacia 1400 d. C.
Longitud 69,3 cm

La batalla de Zonchio (Navarino)

Posiblemente se trate del primer grabado europeo de una batalla naval histórica. La batalla de Zonchio se libró entre los turcos otomanos y los venecianos en agosto de 1499, frente a Zonchio, al norte de Navarino, en el Peloponeso griego. Los otomanos resultaron victoriosos. Uno de los comandantes venecianos murió en la batalla y el otro cayó prisionero y se lo llevaron a Estambul, donde lo desmembraron con una sierra por orden del sultán Beyazid II.

El grabado en madera se desarrolló durante el siglo XV y muy pronto se convirtió en el medio preferido para producir imágenes sobre temas de actualidad. Esta estampa coloreada con plantillas, procedente de un álbum famoso de xilografías que perteneció al emperador del Sacro Imperio Romano Rodolfo II, es la única que sobrevive de este grabado, aunque seguramente se imprimieron muchas otras. Se sabe que una de ellas formó parte de la ya perdida colección de Fernando Colón, hijo de Cristóbal Colón.

De Italia, hacia 1499 d. C.
Altura 54,8 cm

Reloj automático en forma de galeón, de Hans Schlottheim (1545–1625)

LAS MÁQUINAS AUTOMÁTICAS despertaban una fascinación enorme a finales del siglo XVI, y Hans Schlottheim, de Augsburgo, fue uno de sus más famosos fabricantes.

Este autómata de cobre dorado y acero se concibió para que rodara por una gran mesa como anuncio de un banquete. Tiene forma de galeón, en cuyo interior unos marineros blanden martillos contra campanas situadas en las cofas, para tocar las horas y los cuartos. También indica la hora en una esfera, en la parte inferior del mástil mayor. La música sale de un pequeño órgano de regalía y una membrana de tambor extendida en la base del casco. A bordo, los electores del Sacro Imperio Romano, precedidos por heraldos, desfilan ante su emperador, que se sienta en el trono junto al mástil mayor. En una apoteosis triunfal, el barco dispara los cañones para diversión de los comensales.

De Augsburgo (sur de Alemania), hacia 1585 d. C.
Altura 99 cm
Obsequio del diputado Octavius Morgan

Armadura de piel de cocodrilo

CUANDO EGIPTO ENTRÓ a formar parte del Imperio Romano en 31 a. C., los romanos entraron en contacto con la cultura y la religión egipcia. Como en el resto del imperio, los soldados romanos se integraron en la vida cívica y religiosa de Egipto y participaron en los cultos del país. En la zona de Manfalut, a orillas del Nilo, en el centro de Egipto, los soldados romanos sintieron una atracción especial por el culto al cocodrilo.

Esta imponente armadura, que consta de casco y coraza, está hecha de la piel de un cocodrilo. Se usaba en las ceremonias de estilo militar del culto a dicho animal en la región. La piel llegó al Museo Británico en 1846 como obsequio de una tal señora Andrews, quien durante una visita a Manfalut encontró en unas grutas restos momificados de humanos y animales, incluidos muchos cocodrilos. Aunque el ambiente frío y seco de la gruta conservó bien la armadura, los especialistas del Museo han tenido que remodelarla con gran cuidado.

Encontrada cerca de Manfalut (Egipto)
Romana, siglo III d. C.
Altura (casco) 49 cm
Obsequio de la Sra. Andrews

Armadura de samurái

Esta armadura japonesa, que reúne piezas elaboradas en épocas diferentes, es uno de los objetos más populares del Museo.

Las armaduras japonesas más antiguas se crearon durante el periodo Heian (794–1185) para proteger de las flechas a los guerreros a caballo. La armadura se concibió para que fuera flexible y brindara protección sin impedir ningún movimiento durante la batalla.

Con la irrupción de las armas de fuego en el siglo XVI, en Japón se adoptaron las corazas a prueba de balas, basadas en los modelos europeos. Este yelmo, aunque fabricado en el siglo XVII, sigue la tradición de las piezas más antiguas elaboradas durante un periodo de continuas guerras civiles (1467–1568), cuando los yelmos solían llevar una máscara facial terrorífica, con bigotes hirsutos, para aterrorizar al enemigo. El gorjal, las hombreras, la falda partida y las musleras se forjaron en los siglos XVIII y XIX y están hechos de plaquetas de hierro lacado, unidas con cuerdas y trenzas de seda de colores.

De Japón, periodo Momoyama, finales del siglo XVI (coraza y piezas de los brazos); periodo Edo, siglo XVII (yelmo); siglos XVIII–XIX (resto)
Altura (montada) 125 cm

Ánfora de figuras negras

Esta ánfora griega (jarra de vino) muestra el momento en el que Aquiles, el más excelso de los guerreros griegos, mata a Pentesilea, reina de las amazonas, durante la guerra de Troya. El rostro de Aquiles está cubierto y protegido por el casco, en contraste con el de Pentesilea, quien lleva el yelmo echado hacia atrás, de manera que su cara queda expuesta y su vulnerabilidad enfatizada. La lanza de Pentesilea cruza sin causar daño el pecho de Aquiles, mientras éste hiere a la amazona en la garganta y hace que sangre. Según una versión tardía del mito, en este momento los dos guerreros se miran a los ojos y se enamoran, aunque demasiado tarde.

El ánfora lleva la firma, justo debajo del brazo derecho de Aquiles, del alfarero Exekias. A él se atribuyen también las pinturas. Las espirales que rodean cada asa enfatizan la redondez del ánfora y la tensión de las figuras, los dibujos decorativos y el texto son de bellísima factura. Muy posiblemente, Exekias fue el mejor entre los pintores que emplearon la técnica de las figuras negras.

Elaborada en Atenas (Grecia), hacia 540–530 a. C.,
y encontrada en Vulci (moderno Lazio) (Italia)
Altura 41,6 cm

Yelmo de bronce de un hoplita

Este antiguo casco griego fue capturado en una batalla entre Argos y Corinto, dos ciudades estado. Los vencedores lo dedicaron al dios griego Zeus en su santuario de Olimpia.

Las ciudades estado de Grecia solían unirse contra un enemigo común o enfrentarse unas contras las otras. Hacia el siglo V a. C., un factor decisivo en la guerra eran los grupos de soldados armados hasta los dientes llamados hoplitas, nombre derivado del escudo redondo (*hopla*) que portaban. Cada ciudad estado estaba defendida por sus propios ciudadanos, y los hoplitas figuraban normalmente entre los más ricos, pues el equipo era muy caro y cada soldado debía aportar el suyo propio.

La armadura hoplítica variaba según la región. La elegante forma de este yelmo de bronce se asocia a la ciudad de Corinto. Extraído enteramente de una única pieza de bronce, su elaboración requería una técnica excepcional.

Probablemente de Corinto, centro de Grecia meridional, hacia 460 a. C.
Altura 25,4 cm
Legado por R. Payne Knight

Casco para deportes de caballería

EN 1796, MIENTRAS JUGABA detrás de su casa en Ribchester, Lancashire (Inglaterra), el hijo de un zapatero descubrió una masa de metal corroído. Resultó ser un tesoro de equipamiento militar romano, usado sobre todo en deportes de caballería.

Los deportes de caballería eran fastuosas exhibiciones de hípica militar y de ejercicios con las armas. Servían tanto de entrenamiento como para entretener a las tropas. Las pruebas más vistosas eran los simulacros de batalla entre los jinetes de élite de la unidad. Hombres y caballos lucían arreos y atavíos muy elaborados, como el que se encontró en el tesoro de Ribchester.

Este casco de bronce repujado, decorado con la escena de una refriega entre la infantería y la caballería, es el objeto más espectacular del tesoro. Durante su uso, el casco y la máscara se unían con una correa de cuero, y sobre el casco se colocaban un penacho y un par de cintas colgantes o "crines".

De Ribchester, Lancashire (Inglaterra), finales del siglo I o principios del II d. C. Altura 27,6 cm

Cazo de bronce esmaltado

Este cazo (*trulla*) decorado habría tenido originalmente un mango y una base, ambos desaparecidos. Al igual que el casco de la página anterior, da testimonio de la presencia del ejército romano en Gran Bretaña. Debajo de la boca, una inscripción con incrustaciones de porcelana circunda el cazo: *MAIS* (Bowness-on-Solway) *COGGABATA* (Drumburgh) *VXELODVNVM* (Stanwix) *CAMMOGLANNA* (Castlesteads) *RIGORE VALI AELI DRACONIS*.

Los primeros cuatro nombres designan fuertes del sector occidental de la muralla de Adriano. La segunda parte de la inscripción resulta más difícil de interpretar. *RIGORE VALI* parece una referencia directa a la muralla de Adriano, conocida en tiempos romanos como *Vallum*. Aelius era el nombre de familia de Adriano, aunque también podría concordar con la palabra *DRACO* y formar el nombre propio Aelius Draco, posiblemente el soldado que encargó el cazo como recuerdo de su servicio militar en la muralla.

De los páramos de Staffordshire (Inglaterra), siglo II d. C. Profundidad 9,4 cm
Adquisición conjunta del Museo Británico, el Museo y Galería de Arte de la Cerámica (Stoke-on-Trent) y el Museo y Galería Tullie House (Carlisle), comprado con la importante y generosa financiación de Heritage Lottery Fund

Aguamanil de bronce

LOS AGUAMANILES (del latín *aqua* y *manus* ('agua' y 'mano') son jarras específicamente para lavarse las manos. Se trata de importantes piezas de vajillas seculares en las mesas de los ricos. En la Edad Media era necesario lavarse las manos con asiduidad, pues casi todo el mundo comía con los dedos.

Este aguamanil, en forma de caballero sobre su montura, se llenaba de agua hasta la punta del yelmo del jinete. El agua se vertía por el pitorro situado en la cabeza del caballo. Existen diversos ejemplares de aguamaniles en forma de caballo y jinete, incluso de cerámica, aunque los de bronce estaban destinados a los clientes más ricos. La calidad artesanal de esta pieza indica que pudo tratarse de un objeto prestigioso.

Hecho en Inglaterra, finales del siglo XIII d. C., hallado en el río Tyne cerca de Hexham
Altura 33 cm

Arnés de algodón acolchado para caballos

En los ejércitos de los grandes imperios africanos al sur del Sahara, como Ghana, Malí, Songhai, Hausa y Kanem-Bornu, los caballos se cubrían con pesadas bardas acolchadas de algodón. En la batalla, los caballos llevaban también cotas de malla o piezas de cuero para cubrir los flancos. Una testera (pieza para la cabeza) de metal y tela completaban la armadura. Estos vistosos caballos no siempre entraban en combate; a veces, servían de escoltas del comandante en el campo de batalla. La armadura se utilizaba también en paradas militares. Actualmente, estas fabulosas bardas se emplean solamente en ocasiones ceremoniales.

Esta barda en concreto se tomó probablemente durante o poco después de la batalla de Omdurmán (2 de septiembre de 1898), que puso fin al estado mahdista de Sudán. Este estado fue fundado en 1885 por Muhammed Ahmad, el Mahdi, y totalmente establecido por su sucesor, el Kalifa, cuyos ejércitos cayeron derrotados a manos de los británicos que comandaba el general Kitchener, en Omdurmán.

De Sudán (África), siglo XIX d. C.
Longitud 170 cm
Anchura 84 cm
Obsequio del comandante Maxse

Empuñadura de oro de una daga

EN LA ANTIGUA CHINA el oro no tenía tanto prestigio como el jade o el bronce. Se empleaba principalmente en adornos, como incrustaciones o recubrimientos en piezas de bronce o esmalte, y muy raramente para crear los objetos propiamente dichos. Sin embargo, en el periodo Zhou oriental (771–221 a. C.), el oro se empezó a usar profusamente. La orfebrería siguió basándose en la afianzada tecnología del bronce, como el vaciado de objetos en molde.

Una raya, muy evidente, recorre los lados de esa empuñadura de daga, lo que demuestra que se vació en un molde de dos piezas. Tiene el puño hueco y ambos lados decorados con un dibujo conocido como entrelazado de dragón. La empuñadura es muy frágil, lo que probablemente impediría su uso en una daga auténtica. Es probable que se elaborara como un adorno o para colocarla en una tumba con el objetivo de que se usara en el más allá.

De China, dinastía Zhou oriental, siglos VI–V a. C.
Altura 9,8 cm

Espada de la armadura del sultán Tipu (1750–99)

El sultán Tipu fue, desde 1782, el gobernante musulmán del estado de Mysore, al sur de la India (ahora parte del estado de Karnataka). Conocido como “El tigre de Mysore”, este poderoso soberano fue capaz para lograr sus propósitos de enfrentar entre sí a los ejércitos de la Compañía de las Indias Orientales Británicas, de Francia y de los Marathas, en el último cuarto del siglo XVIII.

Luchó contra Gran Bretaña durante la I Guerra Mysore en 1767, y derrotó a las tropas británicas en la II Guerra Mysore en 1782, a las que obligó a firmar el Tratado de Mangalore. Al final, en mayo de 1799, los británicos marcharon sobre Seringapatam, la capital de Tipu. Tomaron al asalto las murallas de la ciudad, derrotaron al ejército y mataron al sultán. La batalla supuso un punto y aparte decisivo en la política militar de la Compañía Británica de las Indias Orientales, que cambió su carácter defensivo por otro ofensivo. Esta espada, un trofeo de la batalla de Seringapatam, lleva una inscripción que indica que procede del arsenal del sultán Tipu.

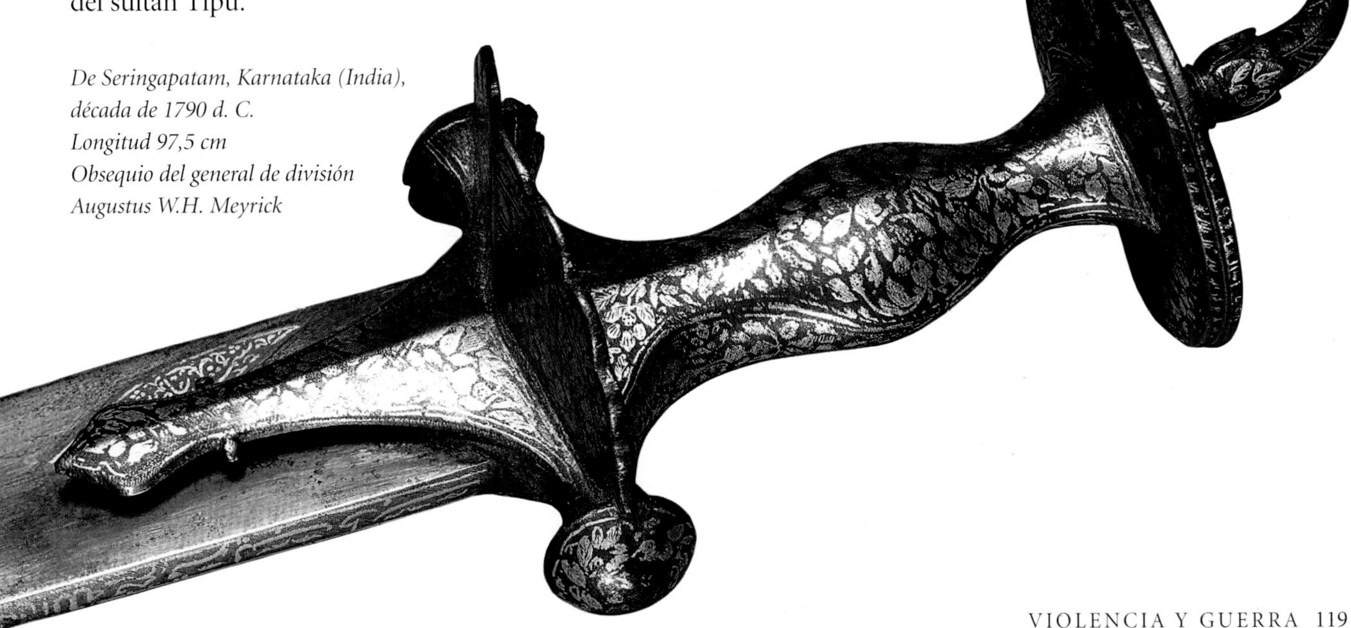

De Seringapatam, Karnataka (India), década de 1790 d. C.
Longitud 97,5 cm
Obsequio del general de división Augustus W.H. Meyrick

Baldosas de Ricardo y Saladino

ESTAS BALDOSAS se hallaron en la abadía de Chertsey en Surrey. Plasman una imponente exhibición de valentía: el rey inglés Ricardo I (r. 1189–99) atraviesa con su lanza a Saladino (1138–93), sultán de Ayyubid. En realidad, aunque Ricardo y Saladino fueron enemigos acérrimos durante la III Cruzada (1189–92), Ricardo nunca mató a Saladino. La escena es una invención, que buscaba claramente rendir homenaje al valor de Ricardo en la batalla.

El tema revestía un atractivo natural para los reyes ingleses posteriores, y era uno de los favoritos de Enrique III (r. 1216–72), quien hizo que lo pintaran en las paredes de la cámara de Antioquía en el palacio de Clarendon. La maestría pictórica de estas baldosas y su calidad son superiores al resto de las producidas en Chertsey y sugieren que quizás estaban destinadas a decorar un palacio real.

De Chertsey (Inglaterra), hacia 1250–60 d. C.
Longitud 17,1 cm
Anchura 10,4 cm
Obsequio de S.M. la reina Victoria y el doctor H. Manwaring Shurlock

Sello al cuño de Robert Fitzwalter

Un sello al cuño es un troquel grabado que se utiliza para estampar un dibujo en cera caliente con el objetivo de sellar documentos. Este impresionante ejemplar está hecho de plata y grabado con una calidad excepcional. Contiene el escudo de armas de Robert Fitzwalter (muerto en 1235), uno de los barones ingleses más influyentes de principios del siglo XIII, y lleva inscrita la leyenda: + *SIGILLVM: ROBERTI: FILII: WALTERI* (sello de Robert, hijo de Walter).

El escudo representado delante del caballo lleva las armas de otro barón, Saher de Quincy, quien también incluyó el escudo de Fitzwalter en su sello. Fitzwalter y De Quincy eran aliados políticos y desempeñaron una labor importante en la revuelta de los barones contra el rey Juan (r. 1199–1216), que condujo a la firma de la Carta Magna en 1215. Se dice que Juan odiaba a tres hombres por encima del resto: al arzobispo Stephen Langton, a Robert Fitzwalter y a Saher de Quincy.

De Inglaterra, hacia 1213–19 d. C.
Diámetro 7,3 cm

Escudo de Battersea

SE TRATA DE un raro ejemplo en Gran Bretaña de un escudo de la Edad de Hierro. Ha sobrevivido únicamente porque se tiró o se colocó en el río Támesis, donde se ofrecieron muchas armas en sacrificio.

El escudo no se creó para la guerra. Es demasiado corto, y su fina capa de bronce y complicados adornos, incluso con su refuerzo de madera original, habrían quedado destruidos con facilidad. Posiblemente se elaboró para exhibirlo. El bronce, muy pulido, y los destellos de sus cristales rojos resultaban sin duda espectaculares.

Este escudo es uno de los exponentes más famosos de la primera etapa del arte celta en Gran Bretaña. El tachón abombado en mitad del rosetón central perseguía el propósito de proteger el asa que se encontraba en el otro extremo. En el diseño general destacan 27 tachuelas de cristal rojo enmarcadas, de cuatro tamaños diferentes, la mayor de ellas engarzada en el centro del tachón.

Hallado en el río Támesis, en el puente Battersea de Londres (Inglaterra), Edad de Hierro, 350–50 a. C.
Longitud 77,7cm

Yelmo de bronce de gladiador

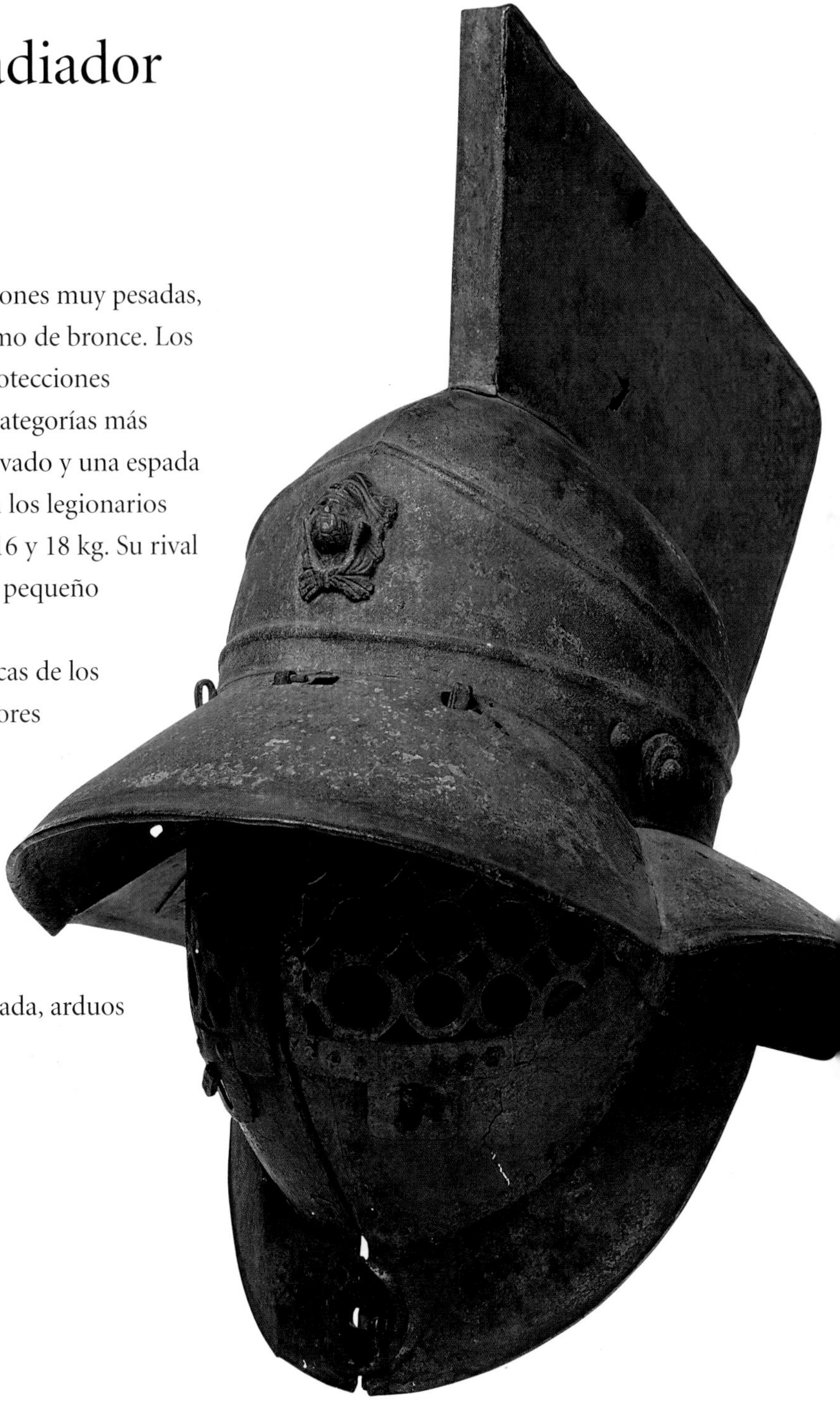

UN GLADIADOR ROMANO que llevara protecciones muy pesadas, como un sumnita o un mirmillón, luciría este yelmo de bronce. Los diversos tipos de gladiadores portaban armas y protecciones diferentes. Los mirmillones formaban una de las categorías más armadas: luchaban con un escudo rectangular curvado y una espada de hoja ancha y recta, similares a los que portaban los legionarios romanos. Sus armas y vestimentas pesaban entre 16 y 18 kg. Su rival más habitual era o bien un tracio, armado con un pequeño escudo, o un *hoplomachus*.

Se cree que este yelmo se encontró en las barracas de los gladiadores de Pompeya. Aunque algunos gladiadores procedían de la esclavitud o la delincuencia, muchos otros eran profesionales. Las escuelas de gladiadores estaban regidas por un *lanista*, un empresario particular que compraba o reclutaba a los hombres idóneos, para entrenarlos y alquilarlos. En los barracones primaba una estricta disciplina, una dieta equilibrada, arduos entrenamientos y prácticas intensivas.

Se cree que de Pompeya, Campania (Italia), siglo I d. C.
Altura 46 cm
Adquirido con la ayuda de la Srta. H.R. Levy

Leonardo da Vinci (1452–1519): *Máquinas militares*

Se trata de una de las hojas de una libreta en la que Leonardo dibujó instrumentos bélicos, mientras trabajaba para Ludovico Sforza, duque de Milán (1494–99). Al pie de cada dibujo, Leonardo anotó una explicación en su estilo de escritura "especular" característico.

En la parte superior de esta hoja aparece un carro con guadañas en todos los lados. En la parte inferior izquierda hay un vehículo armado sin el techo, para apreciar su maquinaria interior. A la derecha, el mismo vehículo, similar a un tanque, se ve en movimiento y disparando sus cañones. En el extremo derecho figura un arma más convencional de la época, una pica larga o alabarda, quizás más ceremonial que práctica. Es altamente improbable que estas máquinas se fabricaran jamás ni se usaran en un conflicto bélico de la época.

De Florencia (Italia), hacia 1487 d. C.
Altura 17,3 cm

Cristovao Canhavato (Kester) (1966–): *Trono de armas*

ESTA ESCULTURA con forma de trono está hecha de armas y partes de armas usadas en la devastadora guerra civil de Mozambique. Es obra del artista mozambiqueño Kester, que usó armas confiscadas al final de aquella guerra, en 1992. Se inscribe en el proyecto TAE (Transformaçaõ de Armas em Enxadas), que fomentaba el trueque de armas por herramientas agrícolas, domésticas y de la construcción. El resultado ofrece un recordatorio muy gráfico de 16 años de guerra civil y un símbolo de esperanza en el futuro.

Este trono es una de las obras maestras más impactantes del Museo Británico, y ha provocado emociones intensas siempre que se ha exhibido, tanto en éste como en otros museos, escuelas, prisiones, iglesias y demás instituciones.

De Maputo (Mozambique), 2001 d. C.
Altura 101 cm
Copyright Kester 2004

5 Criaturas mitológicas

Los enormes toros alados de los palacios reales del Imperio Asirio, en el actual Irak, han captado la atención de los visitantes desde su llegada al Museo en el siglo XIX. Estos gigantescos animales mágicos, con cuerpos de toro, alas de pájaro y cabezas de humanos barbudos, eran guardianes, como la esfinge de Egipto.

Las criaturas mágicas y mitológicas desempeñan un papel importante en las narraciones, leyendas, religiones y literatura de la mayoría de las culturas humanas, por lo que no es de extrañar que sus imágenes se encuentren repartidas por todo el Museo. Podemos contemplarlas como obras de arte, a menudo de gran calidad técnica, pero además nos facilitan la comprensión de los mitos de sus respectivas culturas y de la forma en las que éstas entendían el mundo. Este capítulo ofrece una pequeña selección de las bestias mitológicas y mágicas que contienen las colecciones del Museo. Algunas se pueden observar en las galerías, pero otras, como el grabado de Cranach, los dibujos de Burne-Jones o la cometa maorí, están elaboradas en materiales tan delicados que sólo se pueden exhibir públicamente durante poco tiempo.

Serpiente azteca en mosaico de turquesas

Dragón japonés

Muchas de las criaturas fabulosas y mágicas de las culturas del mundo poseen una mezcla de rasgos animales y humanos. Los toros alados asirios son tan sólo un ejemplo de esta característica común. La esfinge, con cuerpo de león y cabeza humana, es otro. En algunos casos encontramos cuerpos de aves con cabezas humanas, como en las harpías o sirenas de la Tumba de la Harpía, en Turquía, y en la excepcional cometa maorí de Nueva Zelanda. En otros, los elementos anatómicos se repiten para enfatizar sus poderes sobrenaturales, como el Kozo de madera y el fabuloso pectoral azteca de mosaico en forma de serpiente. Pese a las coincidencias en las combinaciones, como la mezcla de pájaros y cabezas humanas o el uso de dos cabezas, estas culturas no mantenían necesariamente ningún contacto entre sí ni compartían un origen común. Las une simplemente la manera en la que el cerebro humano imagina lo fantástico.

El estudio de los animales mágicos y míticos que contiene el Museo nos sirve para analizar cómo diferentes artistas han plasmado un mito o una criatura en particular en las diversas culturas o periodos. El dragón constituye un buen ejemplo. Existen diferencias considerables entre los dragones de Asia oriental y Europa, y no sólo por su aspecto. En el folclore europeo, el dragón o gran gusano suele ser una criatura maligna, destructiva y diabólica, mientras que los dragones chinos y del Lejano Oriente se consideran por lo general benefactores.

Este capítulo reúne imágenes de dragones y criaturas similares de Oriente y Occidente. En concreto, permite comparar cuatro representaciones diferentes de la tradición de San Jorge y el dragón. Aunque San Jorge es el patrón cristiano de Inglaterra, su historia se narró en *La leyenda áurea*, un libro muy popular en la Europa medieval, y en todo el continente se crearon muchas imágenes de él, como el grabado de Cranach el Viejo. Aquí se incluyen, entre otras, una insignia de peregrino y un icono religioso ruso.

Esfinge de granito

La esfinge es una criatura mitológica con cuerpo de león y, normalmente, cabeza humana, aunque en ocasiones tiene cabeza de halcón o carnero. En Egipto, las imágenes de las esfinges se crearon para que guardaran templos o tumbas. Aunque mucha gente asocia esta criatura con Egipto, esta esfinge procede de lo que es actualmente Sudán.

Hacia 720 a. C., el soberano kushita Piye conquistó Egipto. Piye fue el primero de los cinco reyes kushitas (o napatanes) que controlaron Egipto y Nubia, englobados actualmente en la dinastía XXV (747–656 a. C.).

Aunque utilizaban el idioma y los ropajes reales egipcios, los faraones kushitas mantuvieron vínculos con sus antepasados nubios. Esta esfinge lleva la cabeza de Taharqo, cuarto faraón de la XXV dinastía, que reinó entre 690 y 664 a. C. La forma general de la esfinge es típica de la escultura egipcia, pero está adornada con un tocado nubio y la talla de la cara sigue el estilo nubio.

Del templo T en Kawa (Sudán), kushita, XXV dinastía, hacia 680 a. C.

Kozo, el perro bicéfalo

ESTA FIGURA RITUAL de madera del reino del Congo tiene la forma de un perro bicéfalo llamado Kozo. Las figuras adoptaban diversas formas humanas y animales, pero Kozo era especialmente popular. El "pelo" está hecho de clavos y fragmentos de metal, y en el lomo lleva un paquete de medicamentos, elaborado con materiales vegetales y minerales unidos con arcilla. El *nganga*, especialista en el ritual, azuzaba a Kozo con una placa de hierro mientras profería una invocación para ordenarle llevar a cabo una misión.

Los congos vinculaban a los animales salvajes con los muertos, a los que enterraban lejos de los poblados, en los bosques o en las orillas de los ríos. Los animales domésticos, como los perros, vivían con los humanos, que los empleaban en las partidas de caza en el bosque. Se encontraban en la situación ideal para convertirse en mediadores entre el mundo de los vivos y de los muertos. Las dos cabezas y cuatro ojos de Kozo lo convierten en un ser especialmente idóneo para esta labor.

Congo, de la República Democrática del Congo, hacia 1900 d. C.
Altura 28 cm

Vasija de cerámica con dos pitorros unidos

La vasija lleva pintada un ave fantástica con rostro humano, adornada con una máscara bucal y una diadema. El ave sujeta en la boca el trofeo de una cabeza humana. La decapitación ritual era frecuente en los Andes, y las vasijas de Nasca muestran escenas de este ritual.

Algunas imágenes de pájaros del arte nasca son bastantes realistas, mientras que otras combinan elementos fantásticos y antropomórficos. Actualmente se siguen venerando ciertas aves en la región andina. En la ciudad moderna de Nasca, la gente cree que aves como el cóndor, el pelícano y la garza son manifestaciones de los dioses de las montañas. La visión de uno de estos pájaros indica que lloverá en la cordillera.

La técnica y la gama de color empleadas en esta gran jarra representan la culminación del arte nasca. Los nascas usaban más colores que ninguna otra cultura americana anterior a la llegada de los europeos.

De Perú, cultura nasca (200 a. C.–600 d. C.)
Altura 30 cm
Obsequio de lady Dow Steel-Maitland

Colosal toro alado del palacio de Sargón

ÉSTE ES UNO de los dos toros alados con cabeza humana que guardaban la entrada de la ciudadela de Dur-Sharrukin, llamada actualmente Khorsabad. El rey asirio Sargón II (721–705 a. C.) construyó la ciudad para que se convirtiera en la nueva capital de su imperio.

Las crónicas asirias indican que la construcción de las puertas de acceso se acompañaba de profusas ceremonias. A las puertas se les imponían nombres: un buen presagio para espantar los maleficios. Se erigían figuras mágicas en las puertas, como las de aquí, no sólo para decorar el edificio e impresionar a los visitantes, sino también para proteger al rey. Pequeñas figuritas enterradas en las entradas otorgaban protección adicional.

Esta figura lleva grabada entre las patas una larga inscripción cuneiforme que enumera los títulos, antepasados y gestas de Sargón. Garabateada en la base se halla una cuadrícula del "Juego de las veinte casillas" (parecido al "juego de Ur" que aparece en el último capítulo), quizás producto del aburrimiento de los guardias de palacio o de la gente que aguardaba para entrar en la ciudadela.

Tallado en Asiria, actual Irak, hacia 710 a. C.
Altura 4,42 m

Mosaico de turquesas de una serpiente con dos cabezas

Este adorno destaca como un icono del arte azteca. Probablemente se llevaba a modo de pectoral en las ocasiones ceremoniales. Está tallado en madera y cubierto con un mosaico de turquesas. Originalmente, es posible que las cuencas de los ojos llevaran incrustaciones de pirita de hierro y conchas. Los detalles de la nariz y la boca de ambas cabezas se elaboraron con fragmentos de conchas rojas y blancas.

La serpiente era un animal muy importante en la religión azteca. La palabra *coatl*, 'serpiente' en su idioma, el nahuatl, aparece en los nombres de varios dioses, como Quetzalcoatl ('Serpiente emplumada'), Xiuhcoatl ('Serpiente de fuego'), Mixcoatl ('Serpiente de nube') y Coatlicue ('La de la falda de serpientes'), madre del dios azteca Huitzilopochtli. Las imágenes de las serpientes se utilizaban también como elementos arquitectónicos, por ejemplo en los muros de serpiente (*coatepantli*) que servían para delimitar espacios sagrados en el interior de una zona ceremonial.

Azteca-mixteca, de México, siglo XV–XVI d. C.
Altura 20,5 cm
Adquirido mediante Christy Fund

Mascarón de proa de un barco

ESTE MASCARÓN se descubrió en 1934 y durante mucho tiempo se creyó que procedía de un barco vikingo de los siglos IX y X. Su estilo, sin embargo, había despertado ciertas dudas y, en 1970, el laboratorio de investigación del Museo sometió la madera a pruebas de carbono14. Los resultados demostraron que el mascarón se talló mucho antes de lo pensado y no había pertenecido a un barco vikingo.

Aunque los mascarones con formas animales suelen relacionarse con el *drakkar* vikingo, se hallan también en ilustraciones mucho más antiguas de embarcaciones mercantes y bélicas de las zonas nororientales del Imperio Romano tardío. Este mascarón, que data de ese periodo, es originario de Bélgica. Su apariencia aterradora, con fauces abiertas y dientes y ojos prominentes, tenía posiblemente una finalidad protectora y no sólo ornamental. Los viajes en barco eran peligrosos y se imponía conjurar las fuerzas malignas que acechaban en el mar.

De la provincia romana o germánica del río Schelde cerca de Appels, Oost Vlaanderen (Bélgica), siglo IV–VI d. C.
Altura 149 cm
Adquirido con la ayuda de Art Fund y Christy Trust

Dragón articulado, firmado por Myochin Kiyoharu

ESTE DRAGÓN una de las muchas imágenes de dragones de diferentes culturas presentes en el Museo, procede de Japón. La caída del shogunato Tokugawa en 1867 puso fin a la política guerrera tradicional de Japón. Conforme disminuía la demanda de armaduras, muchos herreros adaptaron su técnica a la fabricación de figuritas de animales en hierro. Seguramente se trataba de adornos destinados a la *tokonoma* (una hornacina situada en el recibidor de las casas). Con un detallismo impresionante, se crearon para exhibir el virtuosismo y la maestría del artesano.

Las técnicas usadas en el remache de piezas de metal curvadas para formar una armadura eran especialmente eficaces para reproducir plumas o escamas. Por eso abundan animales como peces, reptiles, escarabajos, crustáceos, dragones y otras criaturas míticas. Las escamas del dragón recuerdan las placas metálicas de la armadura de los samuráis, y su cuello, cuerpo, cola, patas y cada una de las garras son articuladas.

De Japón, siglo XVIII–XIX d. C.
Longitud 34,5 cm
Obsequio del profesor John Hull Grundy y señora

Jarrón de *cloisonné*

EN EL ARTE CHINO, los dragones tienen un cuerpo largo de serpiente y, al contrario que en las culturas europeas, no son maléficos. Se vinculaban de forma especial al poder y a la autoridad imperial. Los dragones imperiales, como el que aparece en este jarrón de bronce, suelen ser amarillos o dorados y siempre poseen cinco garras.

Este jarrón está decorado con la técnica de esmaltado *cloisonné*. Primero se moldea el objeto en cobre, en este caso una vasija con tapa. Después, se marca el perfil del estampado con hilos de cobre soldados a la superficie. Por último, estas formas se rellenan con vidrio de colores y se calienta el recipiente hasta que el vidrio se funde y se fija.

Como, en la época de la creación de este jarrón, el *cloisonné* se consideraba apropiado para el uso imperial, se modelaron muchas piezas soberbias para palacios y templos. La inscripción que lleva en el cuello indica que se creó bajo los auspicios del Yuyongjian, un departamento de la Casa Imperial.

De China, dinastía Ming, periodo Xuande (1426–35 d. C.)
Altura 62 cm

Icono de San Jorge ("San Jorge negro")

Las próximas páginas contienen imágenes del San Jorge cristiano matando al dragón. Se trata de cuatro de las muchas versiones diferentes de esta imagen que alberga el Museo.

Este icono extraordinario se descubrió en 1959, cuando se usaba de postigo en un granero. Una vez los conservadores lo limpiaron, quedó claro que se había pintado por encima varias veces. Por debajo de una pintura popular del siglo XVIII, descubrieron una capa del siglo XVII y finalmente este maravilloso icono del siglo XIV, reconocido inmediatamente como una obra maestra temprana de la pintura rusa.

El santo está pintado en actitud enérgica, en plena acción, en el momento de matar al dragón. Aparece de pie sobre los estribos, refrenando el brinco de su caballo, con su capa roja ondeando al viento. La representación de San Jorge sobre un caballo negro en lugar de blanco es muy rara y da pie al nombre popular del icono: "San Jorge negro".

Del pueblo de Pskov, noroeste de Rusia
Bizantino, finales del siglo XIV d.C.
Altura 77 cm

Lucas Cranach the Elder (1472–1553): *San Jorge y el dragón*

El artista Lucas Cranach el Viejo creó muchas imágenes diferentes de San Jorge y el dragón, prueba de la popularidad que tenía el santo como tema artístico a finales de la Edad Media y en el Renacimiento en Europa.

La imagen de este grabado lujosamente ilustrado se considera el claroscuro en madera más antiguo. Para lograr su espectacular contraste, los bloques de madera se imprimieron con tintas de diferentes colores. Primero se estampó el bloque de líneas negras y, a continuación, se imprimió el segundo bloque, que posiblemente contenía un pegamento sobre el que se aplicó el pan de oro. Los reflejos del fondo se consiguieron rascando para revelar el color del papel.

En 1507, el mecenas de Cranach, Federico III, elector de Sajonia, envió una prueba de este grabado a Conrad Peutinger, consejero del futuro emperador Maximiliano I. Como, en aquella época, Maximiliano trataba de fomentar el prestigio de la Orden de San Jorge, la figura del caballero podría representar a Maximiliano en la guisa del santo.

De Alemania, hacia 1507 d. C.
Altura 23,3 cm

Edward Burne-Jones (1833–98): *San Jorge luchando contra el dragón*

ESTE DIBUJO A LÁPIZ, con su minucioso acabado, forma parte de los diversos estudios efectuados para una serie de siete pinturas sobre la leyenda San Jorge, patrón de Inglaterra. Se trataba de un encargo para decorar la casa del artista Miles Birkett Foster, en Witley, Surrey (Inglaterra). La pintura a la que pertenece este boceto se encuentra en la Galería de Nueva Gales del Sur, Sídney (Australia). Las demás se hallan en el Musée d'Orsay de París, en la Colección Forbes de Nueva York y en la Galería de Arte de Bristol.

El tratamiento preciso, pero finamente estilizado, del follaje en primer plano y de los árboles del fondo denota la influencia de Gabriel Dante Rossetti y demás pintores de la Hermandad Prerrafaelita. Dibujos preparatorios tan detallados le eran muy útiles a Burne-Jones, quien solía emplear ayudantes para los grandes proyectos. La imagen del dragón se inspira en una xilografía alemana del siglo XVI, posiblemente de la colección del Museo Británico.

De Inglaterra, hacia 1865 d. C.
Altura 35,1 cm
Legado de Cecil French

Insignia de peregrino, de plomo, con San Jorge y el dragón

Las peregrinaciones eran muy importantes para un cristiano en la Europa medieval. Los peregrinos solían recorrer cientos o incluso miles de kilómetros para visitar el sepulcro de un santo. Algunos sólo deseaban encontrarse cerca de los restos del santo y otros esperaban curas milagrosas o el perdón de sus pecados.

En Gran Bretaña se han hallado cientos de insignias de peregrinos como ésta, con la imagen de San Jorge. Eran baratas, pues se producían en serie para que estuvieran al alcance de cualquiera. Se llevaban para mostrar dónde se había ido en peregrinación, o bien se tiraban a los ríos o pozos para invocar la buena suerte o se prendían en tejidos decorativos en los hogares. En estos recuerdos normalmente se plasmaba la figura de un santo, su símbolo o una escena de su vida. Posiblemente, esta insignia sea un recuerdo de una peregrinación a la Capilla Real de Windsor. Contenía reliquias de San Jorge, cuyo culto alcanzó una gran popularidad a finales del siglo XV.

De Inglaterra, hacia 1400–1550 d. C.
Altura 2,9 cm

Panel con relieve de la Tumba de la Harpía

ESTE PANEL procede de un monumento conocido como la Tumba de la Harpía por los pájaros con cabeza de mujer tallados en sus esquinas. Sería más apropiado relacionar estas imágenes con las sirenas, acompañantes de los muertos. Las pequeñas figuras que llevan en brazos representan seguramente las almas de los muertos.

El monumento se descubrió en Janto, en la moderna Turquía, la principal ciudad de la antigua Licia. Se trata de un bello ejemplar de un tipo de tumba frecuente en Licia: una caja cuadrada de caliza, colocada sobre un pilar alto, y decorada con paneles de mármol esculpidos. Todos los lados contienen escenas similares de figuras sentadas, quizás divinidades o antepasados divinizados, que reciben ofrendas de las figuras esculpidas en pie.

Aunque el estilo de las tallas evoca inequívocamente una inspiración griega, algunas características indican que el escultor no era griego. La datación propuesta para el monumento sugiere que el estilo arcaico (hacia 600–480 a. C.) se mantuvo en Licia más tiempo que en Grecia continental y que en los enclaves orientales griegos.

De Janto, moderna Günük (Turquía), hacia 470–460 a. C.
Altura (completa) 884 cm

Cometa de pájaro

SE TRATA DE UNO de los ejemplares más antiguos de una cometa de pájaro maorí que se conservan. Las cometas maoríes se elaboraban con una ligera estructura de madera, cubierta con un tejido importado. Antes de la introducción del tejido se cubrían con tela de corteza vegetal. Las cometas de pájaros tenían normalmente cabezas humanas, como la de este ejemplo, a modo de máscara con ojos de conchas.

Los adultos volaban estas bellas cometas, grandes y complejas; los niños, sin embargo, manejaban cometas más sencillas y fáciles de confeccionar. Se precisaban dos hombres para manipular esta cometa, con sus más de dos metros de envergadura, con ayuda de una cuerda muy fuerte de tres hebras. Los adultos volaban cometas por diversión e incluso se retaban en concursos, pero también lo hacían con una finalidad mucho más seria, como la adivinación. Los augurios se inferían por la forma en la que la cometa remontaba el vuelo y por los lugares sobre los que planeaba.

De la Bahía de la Abundancia, isla Norte (Nueva Zelanda)
Posiblemente de principios del siglo XIX d. C.
Anchura 207,5 cm
Colección del capitán Manning, obsequio del Sr. Reed

6 La muerte

En la planta baja del Museo, junto a las esculturas monumentales de Egipto, los toros alados de Asiria y los mármoles del Partenón, se halla una galería más pequeña y silenciosa, que contiene las esculturas de una de las Siete Maravillas del mundo antiguo. El Mausoleo de Halicarnaso es un enorme monumento de piedra, de 45 m de altura, construido hace 2.300 años en Halicarnaso (moderno Bodrum turco). Contenía la tumba de Mausolo, soberano de la Caria (sudoeste de Turquía), y destacaba como un homenaje visible a su vida y a sus gestas. Muchos siglos después de su muerte, esta gran edificación siguió recordando a quien la contemplara la existencia y la fama de su propietario. Sólo nos quedan fragmentos de aquella antigua maravilla y de las esculturas que la adornaron, aunque el propio Mausolo ha alcanzado la inmortalidad

Sarcófago exterior de Henutmehyt

gracias a la palabra "mausoleo", usada en un principio para describir su monumental tumba.

Todo el Museo contiene ejemplos del deseo, común a muchas sociedades humanas, de conmemorar a los muertos, con la esperanza de que el recuerdo de sus vidas subsista más allá de la muerte. Pocos, sin embargo, poseían el poder o la riqueza de Mausolo para crear monumentos tan colosales y perdurables. Este deseo promovió la creación de imágenes que inmortalizaran el aspecto de la persona muerta (o, como en el relieve de la tumba de Seianti, su apariencia idealizada). De hecho, como demuestra la lápida de El Cairo, tan sólo unas palabras sencillas pueden convertirse en un monumento impactante.

Los fragmentos del Mausoleo suponen un ejemplo conmovedor de cómo los pueblos han creado objetos y monumentos para mantener entre los vivos el recuerdo de los muertos, pero muchas otras piezas presentes en el Museo se crearon para ayudar a los difuntos en su nueva "vida" después de la muerte. Esto es así en el caso de los sarcófagos y féretros de las momias egipcias, y de los objetos que las acompañaban en sus tumbas y sepulturas. Entre los artefactos más populares del Museo figuran los sarcófagos de momias como el de Henutmehyt, que no perseguían únicamente la finalidad de contener el cuerpo momificado de la persona muerta, sino la de actuar como sustitutos del cuerpo si la momia se deterioraba. Los enterramientos en otras sociedades y culturas también solían incluir artículos para su uso en el más allá. Entre ellos cabe destacar objetos tan famosos como el yelmo de Sutton Hoo, parte de una tumba que contenía además los ingredientes necesarios para que sus moradores organizaran un espléndido banquete tras la muerte, una característica común a muchas costumbres fúnebres de la Europa precristiana.

Otros objetos hallados en yacimientos funerarios son más enigmáticos: sabemos que el *bi* y el *cong* de jade que elaboraban las sociedades agrícolas del Neolítico en China requerían gran destreza y tiempo, pero desconocemos su función y significado. Lo mismo puede decirse de los tambores de Folkton, creados en Inglaterra en la misma época que los jades chinos y también colocados en una sepultura.

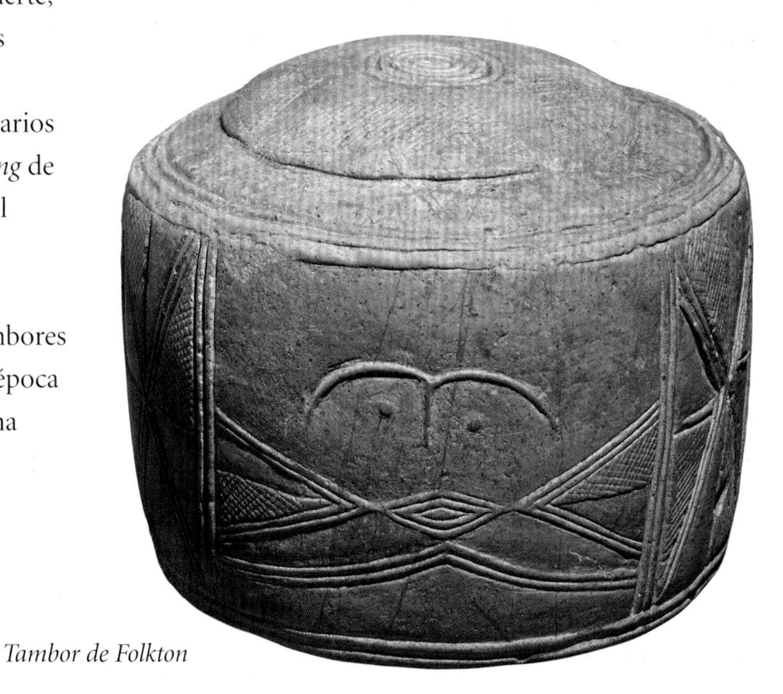

Tambor de Folkton

Sarcófago exterior dorado de Henutmehyt

Los sarcófagos y féretros de momias de Egipto son los objetos más conocidos de todos los relacionados con la muerte que se exhiben en el Museo Británico. Este sarcófago exterior dorado pertenece a Henutmehyt, princesa tebana y sacerdotisa del dios Amón, que murió hace más de 3.000 años. El sarcófago exterior, lujosamente decorado, contiene una magnífica imagen idealizada, tocada con una peluca completa. Lleva un collar sobre el pecho y, por debajo, cuelga un adorno pectoral flanqueado por ojos protectores *udyat*. Este sarcófago exterior con forma humana no sólo proporcionaba protección al cuerpo momificado, sino que brindaba al espíritu del muerto un sustituto del cuerpo si la momia se deterioraba.

El sarcófago está cubierto de símbolos religiosos, destinados a garantizar el renacimiento del fallecido y su bienestar en la otra vida. Entre ellos figura la imagen de la diosa del cielo, Nut, quien extiende sus protectores brazos alados por encima de la momia.

De la tumba de Henutmehyt, Tebas (Egipto), XIX dinastía, hacia 1250 a. C.
Altura 208 cm

Estatua colosal de un hombre

La palabra "mausoleo" se emplea para describir una edificación que contiene una tumba, pero se usó por primera vez para designar el sepulcro de Mausolo en Halicarnaso, una de las Siete Maravillas del mundo antiguo. Esta figura de mayor tamaño que el natural procede de dicha tumba. Charles Newton, quien excavó el yacimiento, afirmó que representaba al propio Mausolo, pero investigaciones posteriores han sugerido que hubo en el sitio 36 estatuas colosales, posibles representaciones de los antepasados de Mausolo. Aunque esta talla se restauró a partir de 77 fragmentos, es la figura mejor conservada de las halladas en la tumba.

La estatua no pretendía plasmar el aspecto real, sino el retrato general de un asiático. Claramente, la figura no representa a un griego. La túnica, el pelo largo, la barba recortada y el bigote reflejan la moda asiática de la época.

De Halicarnaso (actual Bodrum), sudoeste de Turquía, hacia 350 a. C.
Altura 300 cm

Mascarilla mortuoria en cera de Oliver Cromwell

Muchas culturas han creado máscaras que representaban a los muertos, pero, a partir de la Edad Media, en Europa se elaboraban con moldes reales del rostro del fallecido. Cuando moría un personaje famoso, se confeccionaba una mascarilla de su cara para dejar constancia de su apariencia. De un vaciado se sacaba el molde sobre el que se creaba la máscara con yeso o cera. Las mascarillas se distribuían ampliamente por colecciones privadas y públicas, y se usaban también como modelos para retratos póstumos.

Esta mascarilla de Oliver Cromwell (1599–1658) perteneció a sir Hans Sloane (1660–1753), cuya colección contribuyó a la fundación del Museo Británico. Se sacó tras el embalsamamiento, como se aprecia por el paño atado alrededor de la cabeza para cubrir el vendaje. El rostro lleva barba y bigote, pero la famosa verruga de Cromwell se ha cortado o ha desaparecido por acción del líquido de embalsamar. Existen varios vaciados de la mascarilla de Cromwell. Aunque se ha cuestionado la atribución de este ejemplar, entró en el Museo como una representación del estadista.

De Inglaterra, 1658–1753 d. C.
Longitud 21,3 cm
Anchura 16,2 cm
Legado de sir Hans Sloane

Máscara de mosaico de Tezcatlipoca

Se cree que esta máscara representa a Tezcatlipoca ('Espejo Humeante'), uno de los dioses aztecas de la creación y el dios de los gobernantes, guerreros y brujos. Está elaborada sobre una calavera humana, cuya mandíbula se mueve mediante una bisagra. Un mosaico de bandas alternas de turquesa y lignito cubre la parte frontal de la calavera. Los ojos son dos discos de piritas de hierro engarzados en anillos de conchas. La parte posterior de la calavera está cortada y forrada de piel.

La turquesa llegaba a la capital azteca como tributo desde diversas provincias del imperio. Se enviaba en bruto o pulida y cortada en teselas de mosaicos que decoraban objetos, como máscaras, escudos, bastones, discos, cuchillos y brazaletes. Una lista tributaria que publicó el emperador Moctezuma II (r. 1503–20) indica que una provincia en Oaxaca enviaba cada año diez máscaras de mosaicos de turquesa, obra de hábiles artesanos mixtecas.

Azteca-mixteca, de México, siglos XV–XVI d. C.
Altura 19,5 cm
Colección Christy

Estatua de granito de Ankhwa, constructor de barcos

ESTA ESTATUA es un ejemplo de la llamada escultura egipcia "privada", imágenes personales creadas para colocarlas en las tumbas de gente corriente, que se desarrolló durante la III dinastía (hacia 2686–2613 a. C.). El constructor de barcos aparece sentado y lleva en la mano una azuela de ebanista, una herramienta propia de su oficio. La inscripción tallada en la falda de la figura indica su nombre, Ankhwa, y sus títulos. Entre ellos figura el prestigio de persona relacionada con la realeza, un rango que se refleja en la calidad de su estatua, así como en el material empleado. El granito se extraía con el beneplácito del rey, por lo que posiblemente esta estatua se talló en el taller real.

El estilo de las esculturas privadas seguía las convenciones de la escultura de la realeza, de figuras estáticas, poses frontales y rasgos idealizados. Antes de la IV dinastía (hacia 2613–2494 a. C.), la escultura "al natural" escaseaba, aunque este ejemplo de la III dinastía es sobresaliente.

Posiblemente de Saqqara (Egipto), III dinastía, hacia 2650 a. C.
Altura 65,5 cm

Haniwa

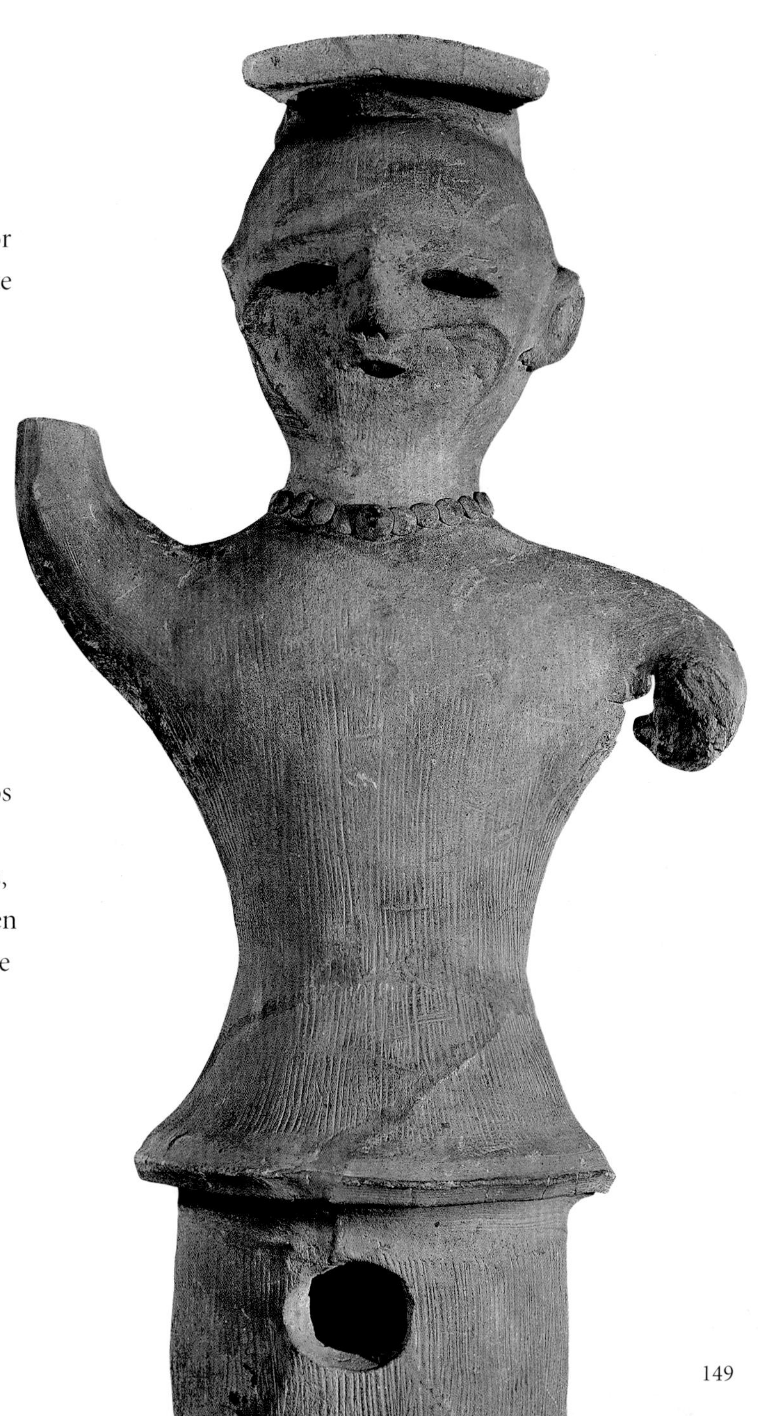

ESTA ALTA FIGURA femenina de cerámica formaba con otras un círculo protector alrededor del túmulo funerario de un poderoso gobernante japonés. Lleva el pelo recogido en un peinado complicado y una sarta de cuentas en del cuello.

A partir de finales del siglo IV d. C., los líderes del estado de Yamato, en la zona de Kioto, afianzaron su domino sobre los demás reinos japoneses. Su poderío resulta evidente en el esplendor de sus tumbas, enormes túmulos llamados *kofun* ('viejos túmulos'). En dicha tumbas, un gran montículo de tierra recubría una cámara de piedra en la que se introducía el féretro de madera o piedra. Los túmulos solían marcarse con círculos de cilindros de cerámica horneada a fuego lento, o representaciones de animales, objetos y personas, como en este ejemplo. Se cree que esta práctica en Japón suplantó las antiguas costumbres chinas de enterrar junto con el gobernante muerto a sus sirvientes y sus bienes.

De Japón, periodo Kofun, siglo VI d. C.
Altura 55 cm
Obsequio de sir A.W. Franks

Cong de jade

El misterioso objeto ritual llamado *cong* se encuentra normalmente en tumbas. Este ejemplar, tallado en jade hace unos 4.500 años, es obra de la cultura neolítica Liangzhu, de la provincia china de Jiangsu.

Estos *cong*, básicamente un tubo con una sección cúbica, perforado en el centro por un agujero circular, se cuentan entre los artefactos chinos de jade más impresionantes y enigmáticos. Se enterraron montones de ellos: una tumba contenía 33, y se han encontrado ejemplares espectaculares en todos los grandes yacimientos Liangzhu. Sin embargo, se ignora su función y su significado.

Producir un *cong* resultaba extremadamente difícil y requería muchísimo tiempo, pues el jade no se puede partir, sino que se debe pulir y trabajar con arena abrasiva. Las esquinas de la mayoría de ellos están decoradas con figuras que asemejan rostros, según parecen indicar los ojos y barras paralelas, que podrían representar espíritus o divinidades. En las caras se mezclan elementos de una figura humana y un animal misterioso.

Del sur de China, hacia 2500 a. C.
Altura 49,5 cm

Tambores de Folkton

UNA COMUNIDAD neolítica de Europa creó estos objetos misteriosos en la misma época en que se elaboraron los *cong* chinos de la página anterior. Los llamados "tambores" se encontraron en la tumba de un niño en Folkton Wold. La costumbre de enterrar a las personas junto con artefactos "especiales" empezó alrededor de 3000 a. C. Las ofrendas de esta tumba son excepcionales (los tambores son únicos) y seguramente constituyen una indicación del rango del niño.

Los tambores están hechos de tiza del lugar y se han tallado minuciosamente, con una técnica muy similar a la que usan los carpinteros para trabajar la madera. No ha sobrevivido ningún otro objeto parecido, pero quizás estaban hechos de madera y no han perdurado. No sabemos para qué se usaban.

La decoración está dividida en paneles, y dos de los tambores contienen caras humanas estilizadas. Se desconoce el significado de los dibujos, aunque se parecen mucho a los que figuran en la cerámica de estilo acanalado de finales del neolítico.

Hallados en el este de Yorkshire (Inglaterra), neolítico tardío, 2600–2000 a. C.
Altura 8,7 cm (mín.)
Obsequio de Canon W. Greenwell

Papiro del Libro de los Muertos de Nedjmet

La literatura funeraria del antiguo Egipto, como el Libro de los Muertos, se creó para ayudar al difunto a superar los peligros del averno y surgir renacido. Los libros consisten en una serie de textos mágicos, que tratan de diferentes aspectos y acontecimientos del más allá. En ocasiones, unas ilustraciones conocidas como viñetas acompañan los textos.

Esta viñeta procede del Libro de los Muertos de Nedjmet, y en ella aparecen Nedjmet y su esposo, Herihor, dedicando ofrendas a los dioses. Herihor figura de forma prominente en este papiro, probablemente debido a su rango. Era uno de los sumos sacerdotes de Amón que gobernaron de hecho el Alto Egipto desde el final de la XII dinastía (hacia 1186–1069 a. C.) hasta la XXII dinastía (hacia 945–715 a. C.). Fue el primero de estos sacerdotes que adoptó atributos reales, como colocar su nombre en un cartucho y representarse con el ureus real en la frente.

Posiblemente del Complejo Real de Deir el-Bahari (Egipto),
XI dinastía, hacia 1070 a. C.
Obsequio del rey Eduardo VII

Ayudante de un Juez del Infierno

La idea del infierno llegó a China con el budismo a principios del primer milenio después de Cristo. Desde finales de la dinastía Tang (618–906 d. C.), las escenas de juicios en el infierno se hicieron frecuentes en el arte chino. En ellas, el fallecido aparece ante los diez jueces del infierno y sus ayudantes, que sopesan sus virtudes y faltas, y sentencian el castigo apropiado. Los muertos rendían cuentas a los jueces al igual que los vivos tenían que declarar ante los magistrados, sus homólogos seglares. Los ayudantes de los jueces portaban los rollos de documentos requeridos para presentar una acusación.

Esta figura de piedra vidriada, de implacable mirada, representa a un ayudante de juez con un gran fajo de pecados. El Museo también posee un ayudante benigno que lleva un fajo mucho más fino de buenas obras.

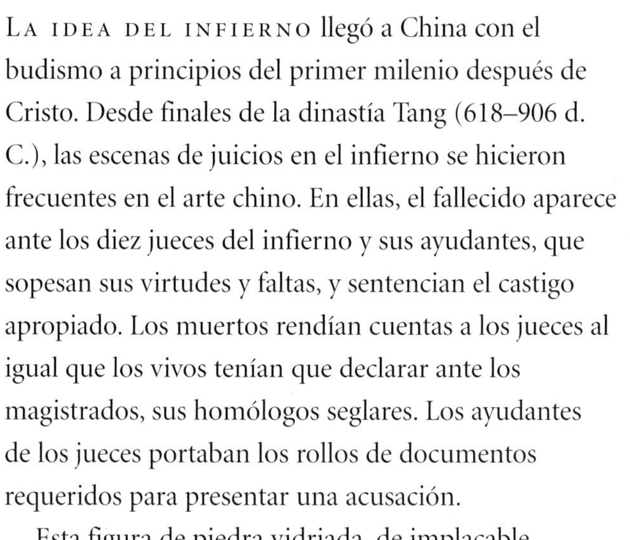

Dinastía Ming (China), siglo XVI d. C.
Altura 137 cm
Donación de Amigos del Museo Británico y Art Fund

"Cazando aves en un pantano", fragmento de un mural de la tumba de Nebamun

ESTA ESCENA forma parte de los once fragmentos hallados en una tumba que pertenece a un "escriba y contable de grano" llamado Nebamun. Las magníficas pinturas, que destacan entre las de mayor maestría técnica del antiguo Egipto, se pueden datar por su estilo en el reino de Tutmosis IV (1400–1390 a. C.) o Amenofis III (1390–1352 a. C.).

Las pinturas se distinguen de los demás ejemplos de la XVIII dinastía (hacia 1550–1295 a. C.) por la calidad de los dibujos, la composición y el uso del color. Plasman la vida cotidiana de Nebamun y su familia, pero su situación en la tumba y la imaginería usada apuntan a un significado más profundo en las esperanzas de renacimiento y renovación de Nebamun en el más allá.

Nebamun se encuentra de pie en una barca de papiro con su esposa, Hatshepsut, a su espalda y su hija por debajo. Los jeroglíficos bajo el brazo alzado lo describen "en un momento de esparcimiento, contemplando las bondades de la eternidad", es decir, del más allá.

Posiblemente de la zona septentrional de la necrópolis, Tebas (Egipto), XVIII dinastía, hacia 1350 a. C.
Altura 83 cm
Colección Salt

Sarcófago de terracota pintada de Seianti Hanunia Tlesnasa

Se trata del sarcófago de una mujer etrusca llamada Seianti Hanunia Tlesnasa. Los romanos adoptaron muchas características de la cultura etrusca, y sus primeros sarcófagos y urnas cinerarias (contenedores de restos incinerados) dejan patente dicha influencia.

La dama se reclina sobre un colchón y una almohada. En la mano izquierda sostiene un espejo con la tapa abierta, mientras levanta la derecha para arreglarse el manto. Viste un quitón (túnica), un manto con un borde morado y joyas: diadema, pendientes, collar, brazaletes y anillos.

Los análisis científicos de los dientes del cadáver que se halla en el interior del sarcófago indican que tenía de 50 a 55 años en el momento de su muerte. El retrato más bien juvenil es típico de las representaciones idealizadas, propias del periodo helenístico del arte etrusco, muy influido entonces por la cultura internacional del mundo griego.

Poggio Cantarello, cerca de Chiusi, Toscana (Italia), hacia 150–140 a. C.
Longitud 183 cm

Dhratarastra, rey guardián del este

ESTA ENORME pintura budista sobre tejido de cáñamo, procedente de Corea, formaba parte de una pareja que originalmente se habría colocado en el interior de la entrada de un templo. El budismo estuvo oprimido a principios del periodo Choson (1392–1910 d. C.), pero fue ganando respeto tras la invasión japonesa de Corea en 1592, cuando los monjes budistas se organizaron en ejércitos y lucharon contra los invasores. Esta pintura data de finales del periodo Choson, época en el que el budismo cobró actividad.

Los cuatro guardianes del norte, este, sur y oeste eran los defensores del budismo. La figura de esta obra toca el laúd, un atributo de Dhratarastra, rey guardián del este. El tamaño del cuadro (3 m de altura), las líneas dinámicas y decorativas y la combinación de colores minerales son típicos de las pinturas budistas coreanas.

Probablemente de Taegu, provincia de Kyongsang (Corea), dinastía Choson, finales del siglo XVIII–principios del XIX d. C. Altura 301 cm

Figura de cerámica *sancai* de una tumba

ESTA FIGURA de un animal fabuloso forma parte de un grupo célebre por pertenecer a la tumba de Liu Tingxun, un importante comandante chino fallecido en 728 d. C. Una tableta encontrada junto a las figuras destaca su pericia como militar y estadista, y menciona que murió a la edad de 72 años.

Se cuentan entre las figuras funerarias más altas de las que se conocen de la dinastía Tang (618–906 d. C.). El grupo consta de dos animales fabulosos (uno con rostro humano), dos figuras guardianas feroces, normalmente visibles en las entradas de los templos, un oficial militar y un civil. El militar lleva una armadura sobre una toga verde, y un ave de presa sobre el gorro. Resulta interesante que ninguna de las cabezas humanas esté vidriada, ni siquiera las de los animales fabulosos, así como tampoco las melenas flameantes de las dos fieras. Las demás figuras están completamente recubiertas de un vidriado de plomo *sancai* (de tres colores).

Del norte de China, probablemente de la provincia de Henan, principios del siglo VIII d. C.
Altura 109 cm (máx.)

Relicario de San Eustaquio

A PARTIR DEL siglo IX, los relicarios (recipientes para reliquias religiosas) solían elaborarse con la forma idealizada de la propia reliquia. De esta "cabeza" se decía que contenía fragmentos de la calavera de San Eustaquio. Según la leyenda, Eustaquio era un general a las órdenes del emperador romano Trajano (r. 98–117 d. C.), que se convirtió al cristianismo mientras estaba de caza, cuando se le apareció la visión de un ciervo con un crucifijo luminoso entre las astas. Tiempo después, tras ganar una batalla, se negó a participar en los rituales de agradecimiento a los dioses romanos, y murió en la hoguera junto a su mujer y sus hijos.

Este relicario, elaborado en Europa a principios del siglo XIII, está hecho de madera de sicómoro cubierta con placas de plata. Cuando se restauró el relicario en 1955, se hallaron en su interior diversas reliquias envueltas en tejido, que se devolvieron a la Iglesia Católica de Basilea.

Basilea (Suiza), hacia 1210 d. C.
Altura 32 cm

Vestimenta de doliente

EN LA POLINESIA, el conductor de un duelo, que dirigía una procesión de dolientes por toda la población, llevaba esta vestimenta tras la muerte de una persona importante. También portaba un garrote largo y amenazante, ribeteado de dientes de tiburón, con el que atacaba a la gente, en ocasiones con fatídicas consecuencias. Este "reino del terror" podía durar un mes entero.

La parte principal del traje es de corteza vegetal, con un manto de plumas en la espalda y borlas de plumas en los costados. La máscara, de madreperla, está rematada con plumas de pájaros tropicales. La madreperla adorna también el pectoral de madera en forma de media luna del que cuelga un delantal de esquirlas de madreperla. El delantal de corteza vegetal atado a la cintura está adornado con discos de cáscara de coco.

En 1774, el capitán Cook dejó constancia de que le habían regalado un traje de duelo completo. Se cree que se trata de esta vestimenta, que el propio Cook donó al Museo.

De las islas Sociedad, Polinesia francesa, antes del siglo XVIII d. C.
Altura 214 cm
Recogido en el segundo viaje del capitán James Cook (1772–75)

Estela de calcita-alabastro

Ésta es la lápida de una joven llamada Aban. Se trata de un ejemplar de un tipo de estela funeraria conocido como *nefesh* ('alma' o 'personalidad'), importante para no perder la identidad en el otro mundo.

Aban aparece en una pose característica de estas esculturas: de frente, con la mano derecha levantada y una estilizada gavilla de trigo, símbolo de fertilidad, en la izquierda. Lleva brazaletes en ambas muñecas y probablemente tenía unos pendientes enganchados en los agujeros de las orejas. La estatua termina en la raíz del pelo, pues la cabellera se añadía con yeso, otra característica típica de los bustos del sur de Arabia.

Según la inscripción de la base de la estela, Aban era de Qataban (sur de Arabia). Como sus vecinas, Qataban se enriqueció con el comercio de incienso y mirra, dos de los materiales más valiosos en la antigüedad.

Posiblemente de Tamna, Qataban (Yemen), siglos I a. C.–II d. C.
Altura 30 cm

Panel de mármol de la tumba de Muhammad b. Fatik Ashmuli

ESTE PANEL se colocó en la parte frontal de una estructura abierta de cuatro caras situada alrededor de una tumba. La inscripción ornamental de la cara exterior está tallada en caracteres cúficos, la caligrafía más antigua de la escritura árabe. Cuando nació el islam, llevaba usándose más de un siglo, y se empleó para escribir los ejemplares más antiguos del Corán.

La talla contienen el principio de la *basmala*: "En el nombre de Dios, el misericordioso". Con ella se introducían versos del Corán, que continuaban en la superficie exterior de los tres paneles perdidos. La otra cara del panel contiene otra inscripción grabada en la piedra, no tallada en relieve. También comienza con la *basmala*, y a continuación indica el nombre del difunto, Muhammad b. Fatik Ashmuli, y la fecha de su muerte: mes de jumada II de 356 a. h. (967 d. C.).

De El Cairo (Egipto), 356 a. h./967 d. C.
Altura 45 cm
Adquirido con fondos de la Fundación Brooke Sewell

7 Animales

LAS OBRAS DE ARTE más antiguas que alberga el Museo son imágenes del mundo natural. Estas tallas en cuerno, hueso y marfil de la Era Glacial plasman imágenes de animales que compartieron el mundo con las primeras comunidades humanas. Objetos como el arrojador de lanzas en forma de mamut, procedente de Francia, sugieren que estas imágenes no eran simplemente producto del deseo de ilustrar la naturaleza. Demuestran que, desde los comienzos del "arte" humano, las representaciones del mundo natural se usaban para transmitir ideas e ideales. Era tan importante reflexionar sobre estos animales como esencial cazarlos, comerlos o vestir sus pieles. El arte de la Era Glaciar probablemente no perseguía finalidades puramente decorativas, sino que, como en culturas posteriores, transmitía símbolos asociados con narraciones y mitos, incluso quizás manifestaciones físicas de dioses y espíritus. La pequeña costilla de la cueva de Robin Hood es una de las piezas artísticas más antiguas de Gran Bretaña. Lleva grabada la imagen de un caballo, con signos de uso y desgaste de hace 10.000 años. Este fragmento de hueso está muy gastado por el roce de las manos, lo que sugiere que la imagen era mucho más que un dibujo de un caballo.

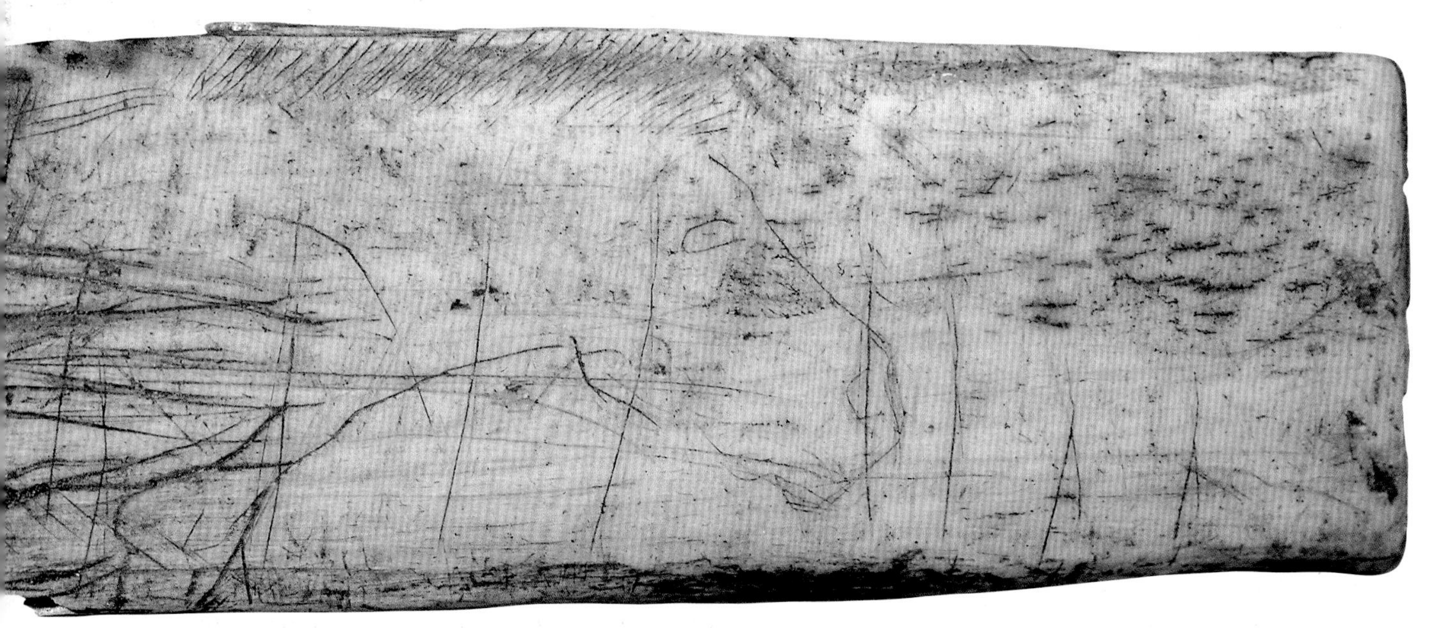

Caballo Cresswell de la cueva de Robin Hood

Imágenes como las del grabado de la Era Glacial reflejan la larga historia de nuestra relación con los caballos, aunque en aquella época estos animales no se montaban, sino que se cazaban como alimento. Se puede comparar con pinturas muy posteriores de artistas europeos como Stubbs o Toulouse-Lautrec, pero también con muchas otras representaciones de caballos del mundo entero. No obstante, otros capítulos de este libro contienen más ejemplos: montar a caballo o utilizarlo para tirar de carruajes solía ser un privilegio de los individuos más ricos y de más alto rango de muchas sociedades, los mismos que tendían a ser plasmados en las obras de arte. Por ejemplo, los caballos formaban parte indisoluble de la imagen de los caballeros medievales europeos y de la clase ecuestre de la antigua Roma. El perro, por otro lado, aunque fue el primer animal que los humanos domesticaron y su compañero durante más de 10.000 años, no aparece con tanta frecuencia en el arte universal.

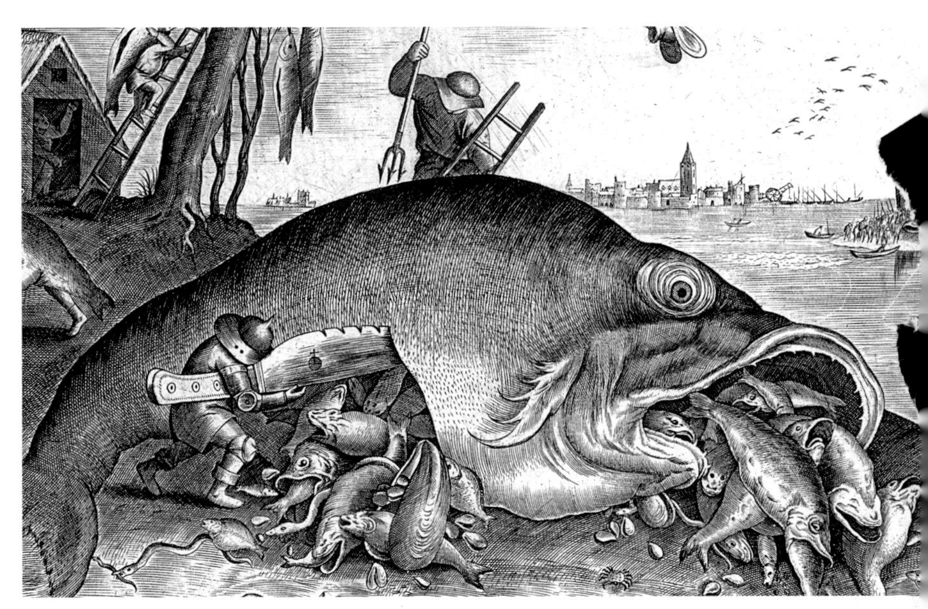

El pez grande se come al chico

Muchas culturas representadas en el Museo tienen en común la importancia simbólica y mítica concedida a los animales, cuyas representaciones se pueden observar en objetos que comprenden desde enormes esculturas hasta diminutas monedas y sellos. En el antiguo Egipto abundaban las imágenes pequeñas de escarabajos, pues se relacionaban con el renacimiento y la salida diaria del sol. Muchas miden pocos centímetros, pero el Museo alberga también una de las mayores esculturas de un escarabajo egipcio de las que se tiene noticia. Otras piezas presentes en este capítulo representan animales de mitos y narraciones religiosas, como el famoso "Carnero en el matorral" de la ciudad mesopotámica de Ur, o los animales plasmados en las antiguas pipas de fumar norteamericanas. Los papeles míticos que desempeñaban los animales convirtieron sus imágenes en símbolos reconocibles de individuos, grupos o comunidades. La lechuza llegó a simbolizar la antigua ciudad griega de Atenas por su estrecha vinculación a la diosa patrona de la ciudad, Atenea. Los animales se usaron como símbolos heráldicos de familias y gobernantes europeos, como se aprecia en el pequeño cisne Dunstable medieval. Los animales también se han empleado en una amplia variedad de alegorías y metáforas, tanto para glorificar como para satirizar aspectos de la sociedad humana.

Escultura gigante de un escarabajo

ESTA ESCULTURA de diorita mide más o menos uno metro y medio de largo y, por lo tanto, se trata de una de las mayores representaciones de un escarabajo conocidas. El escarabajo, uno de los símbolos imperecederos del antiguo Egipto, representa el renacimiento y se asocia con el sol naciente. El jeroglífico del escarabajo tiene un valor fonético HPR (*kheper*), que como verbo significa 'llegar a ser'. Según un mito creacional, el sol recién nacido se llamaba Khepri y tomó la forma de un hombre con cabeza de escarabajo.

Se cree que éste procede del periodo ptolemaico (305–30 a. C.), pero podría ser anterior. Aunque puede que alguna vez se hallara en un templo egipcio, se descubrió en Constantinopla (actual Estambul), en Turquía. Quizás se trasladó de Egipto a Constantinopla cuando la ciudad se convirtió en la capital del Bajo Imperio Romano en 330 d. C. Lord Elgin adquirió la escultura en el siglo XIX.

De Constantinopla (moderna Estambul) (Turquía), egipcia, quizás del periodo ptolemaico, 332–30 a. C. Altura 91,5 cm (máx.)

Galápago de jade

ESTE GALÁPAGO a tamaño natural, extraído de una sola pieza de jade, se encontró en Allahabad (India). Probablemente se talló para que adornara el jardín de un palacio mogol.

Los mogoles eran grandes coleccionistas y mecenas de las artes. Los miembros de la familia real solían aprender pintura, grabado de sellos, joyería y orfebrería junto con las artes de la guerra y la política. Por su interés y su formación artística, los emperadores coleccionaron, encargaron e incluso diseñaron ejemplares exquisitos de arte mogol y extranjero.

La tortuga se encontró en Allahabad, la ciudad de Selim, hijo del emperador mogol Akbar (r. 1556–1605) y futuro emperador Jahangir. Es conocido el patrocinio de Selim a las tallas de jade y su gran interés por la naturaleza. La talla de este galápago es extremadamente realista y extremadamente detallada, incluso en la cara inferior.

De Allahabad (India), siglo XVII d. C.
Altura 20 cm
Legado del teniente Thomas Wilkinson, por mediación de James Nairne

Figura de bronce de un gato sentado

ÉSTE ES UN EJEMPLO excepcional de las muchas estatuas de gatos encontradas en Egipto. Lleva anillos de oro en las orejas y en el morro, un collarín de plata en el cuello y un amuleto protector de plata con el *udyat*.

En Egipto, el gato se asociaba sobre todo a la diosa Bastet, cuyo centro de culto se encontraba en Bubastis, en el delta del Nilo. Bubastis cobró importancia cuando sus gobernantes se convirtieron en reyes de Egipto y formaron la XXII dinastía, también llamada "dinastía libia". La influencia creciente de Bastet y el culto al gato se pueden fechar en esta época. En el Periodo Tardío (661–332 a. C.), los gatos momificados se enterraban como signo de devoción a la diosa en cementerios especiales, varios de los cuales se han descubierto en Egipto.

Esta escultura se conoce como "gato Gayer-Anderson", el nombre de la persona que lo donó al Museo Británico.

De Saqqara (Egipto), Periodo Tardío, después de 600 a. C.
Altura 42 cm
Obsequio del comandante Robert Grenville Gayer-Anderson

Estatua de mármol de una pareja de perros

ESTOS GALGOS DE MÁRMOL se cuentan entre las representaciones más encantadoras del "mejor amigo del hombre" que nos han llegado de la antigüedad. Se excavaron en un lugar llamado Montaña del Perro, cerca de Civita Lavinia, actual Lanuvio (Italia). También se encontraron otros perros de mármol: una pareja de galgos parecida, una esfinge con cuerpo de perro y dos estatuas de Acteón atacado por una jauría. El yacimiento llegó a identificarse con las ruinas del palacio del emperador romano Antonino Pío (r. 138–161 d. C.), que nació en la región. Como ya no se acepta esta hipótesis, la escultura no se puede fechar con certeza en la época de su reinado.

Encontrado cerca de Civita Lavinia (actual Lanuvio), Lazio (Italia), posiblemente siglo II d. C.
Altura 67 cm
Colección Townley

Cornelis Visscher (1629–58): *El gran gato*

Este grabado es una de las estampas más famosas de un gato. Visscher era grabador profesional de diseños propios y ajenos. Se trataba de una ocupación poco habitual en el siglo XVII en Holanda, donde los artistas solían adoptar la técnica del aguafuerte, menos exigente. Los entendidos, tanto contemporáneos como posteriores, coleccionaron ávidamente los trabajos de Visscher, aunque actualmente despiertan escaso interés como obras de arte.

Visscher captó de forma admirable la rigidez de los bigotes del gato y la suavidad y el lustre de su pelaje. El gato parece especialmente grande porque llena la lámina, aunque deja libres las esquinas para una ventana en arco, una piedra con la firma de Visscher, la silueta de las hojas delante del morro y las líneas diagonales del grabado de sombras sobre su cabeza. El ratón atrevido, que abandona la seguridad de los barrotes de la ventana, aporta cierta tensión a una escena por lo demás anodina.

De los Países Bajos, 1657 d. C.
Altura 13,9 cm

Sir John Tenniel (1821–1914): *Alicia y el gato de Cheshire*

ESTE GRABADO de prueba de autor, de Dalziel Brothers, es una ilustración de la página 91 del famoso libro infantil *Alicia en el país de las maravillas* (1865). Plasma el encuentro de Alicia con el gato de Cheshire. El autor, Charles Dodgson, quien escribía con el seudónimo de Lewis Carroll, proporcionó sus propias ilustraciones para el libro. Sin embargo, mientras se preparaba la impresión, se le convenció de que debía contratar a un dibujante más competente.

John Tenniel fue el elegido. Tenniel era uno de los ilustradores más famosos de Gran Bretaña y colaboraba como dibujante satírico con la revista *Punch* desde 1850. Había recibido grandes elogios por sus ilustraciones para *Lalla Rookh* (1861) de Thomas Moore. Dodgson dio tantas indicaciones a Tenniel que su relación laboral se resintió. Las ilustraciones resultantes, sin embargo, fueron obras excepcionales.

De Inglaterra, 1865 d. C.
Altura 13,6 cm

Escenas de la leyenda de Gazi

Los recitadores de leyendas de la Bengal rural empleaban este tipo de pinturas en largos rollos como ayuda visual para su narración. La recitación acompañada de rollos o paneles de pinturas posee una prolongada tradición en la India y se conoce desde, como mínimo, el siglo II a. C.

Este rollo en concreto data probablemente de 1800 d. C. Estilísticamente, la obra pertenece a un periodo anterior a la influencia de las convenciones artísticas europeas.

Las 57 pinturas de este notable rollo podrían plasmar las gestas de Gazi, un *pir* (santo) islámico bengalí. Gazi poseía el don de controlar los elementos de la naturaleza y, entre otras aventuras, luchó contra demonios, dominó animales peligrosos y obró el milagro de que el ganado diera leche. Gazi adquirió renombre por su poder sobre los tigres, lo que lleva a pensar que en este panel está representado el propio Gazi.

De Bengal, quizás del distrito de Murshidabad (India), hacia 1800 d. C.
Adquirido a través de Art Fund

Maruyama Ōkyo (1733–95): *Biombo de tigres*

Este biombo japonés de seis bastidores está pintado con tinta, colores y pan de oro sobre papel. Muestra unos tigres en el momento de cruzar un río, un tema inspirado en la antigua leyenda china que asegura que, si una tigresa pare tres cachorros, uno será siempre un leopardo (*hyo*). En esta escena, la tigresa cruza el río con sus cachorros, intentando no dejar solo al feroz *hyo* con los otros dos.

Maruyama Ōkyo fue el pintor japonés más influyente de su generación. Tenía especial interés en retratar la naturaleza de forma realista y efectuaba bocetos al natural siempre que le era posible. Los tigres no son autóctonos de Japón, y cuando se pintó este biombo había poquísimos, o ninguno, en cautividad. Se cree que Ōkyo, al igual que otros artistas japoneses de esta época, usó gatos domésticos como modelos.

Del estudio de Maruyama Ōkyo, Kioto (Japón), hacia 1781–82 d. C.
Altura 153,5 cm
Adquirido con la ayuda de Art Fund

Relieve en piedra de una cacería de leones

Los relieves en piedra que ilustraban las gestas de caza del último de los grandes reyes asirios, Ashurbanipal (r. 668–631 a. C.), se crearon para su palacio en Nínive (al norte del actual Irak). Estos paneles, que originalmente pudieron adornar sus aposentos privados, muestran una cacería de leones: se soltaba a los leones, se les daba caza y por último se mataban. En la antigua Asiria, cazar leones estaba considerado el deporte de los reyes, símbolo del deber que tenía el monarca de proteger a su pueblo y luchar por él. Las inscripciones de su reinado (883–859 a. C.) aseguran que Ashurnasirpal II mató un total de 450 leones.

Las escenas de caza, llenas de tensión y realismo, figuran entre los exponentes más bellos del arte asirio. En este relieve, el rey aparece vuelto en su carro para atravesar con la lanza un león que le ha atacado por detrás. El rey lleva ropajes lujosamente bordados, pulseras y brazaletes, y la corona alta característica de Asiria.

Esculpido en Nínive, norte de Irak, hacia 645 a. C.

León colosal de mármol de un monumento funerario

ESTE LEÓN COLOSAL, tallado en un solo bloque de mármol, pesa unas seis toneladas. Actualmente se exhibe en el Gran Patio del Museo. Originalmente se encontraba en lo alto de un monumento funerario en Cnidos, ubicado en un cabo junto un acantilado escarpado que se precipita perpendicularmente al mar desde unos 600 metros. El monumento era cuadrado, con una cámara interior circular y un tejado en forma de pirámide. Se inspiraba en la gran tumba de Mausolo, construida hacia 350 a. C. en Halicarnaso, una de las Siete Maravillas del mundo antiguo, y a menos de un día de navegación de Cnidos.

Hay diversas opiniones sobre la fecha de creación de la escultura. Una teoría sugiere que el monumento conmemoraba una batalla naval entre Atenas y Esparta junto a la costa de Cnidos en 394 a. C. Otra apunta a que la arquitectura dórica de la tumba y, por lo tanto el león, data de alrededor de 175 a. C.

De Cnidos, sudoeste de Asia Menor (moderna Turquía), hacia 350–200 a. C.
Longitud 300 cm
Altura 200 cm

Tetradacma ateniense de plata

En 482 a. C. se descubrió una gran veta de plata en las minas atenienses de Lavrio. Tras mucho debatir, la plata se usó para ampliar la armada ateniense. Esta mejorada flota derrotó a los persas aqueménidas en la batalla de Salamina en 480 a. C., una victoria que cambió el curso de las guerras médicas. Los griegos ganaron la guerra e impidieron la invasión persa de Grecia continental.

Este tetradracma (moneda de cuatro dracmas) se acuñó posiblemente durante la fase de construcción de la flota ateniense, época de emisión de muchas monedas. Ambas caras están dedicadas a la diosa de Atenas, Atenea. En el anverso de la moneda aparece la efigie de Atenea y en el reverso su ave sagrada, la lechuza. Estos motivos se mantuvieron en las monedas atenienses durante más de 300 años, y las "lechuzas" de Atenas se convirtieron en moneda corriente en todo el mundo griego.

De Atenas (Grecia), 527–430 a. C.
Peso 16,71 g
Legado de John Mavrogordato

Cabeza del caballo de Selene

Esta cabeza de mármol del caballo de Selene, diosa de la luna, pertenece al frontón oriental del Partenón de Atenas. Posiblemente se trate de la escultura más famosa y estimada de todas las del templo.

El caballo se hallaba originalmente en el extremo derecho del frontón, con la mandíbula colgando sobre el filo, pues el carro de Selene se hundía en el horizonte. El escultor captó la esencia misma de un animal al límite de su resistencia física. Toda una noche tirando del carro de la luna a través del firmamento lo ha dejado exhausto y jadeante. La piel aparece tensada al máximo sobre los huesos, totalmente tirante sobre el gran hueso del pómulo. Tiene los orificios nasales dilatados, los ojos redondos y sin pupilas salidos de sus órbitas por el esfuerzo, las venas y los tendones totalmente marcados, y las orejas pegadas a la cabeza.

Del frontón oriental del Partenón, Acrópolis de Atenas, hacia 438–432 a. C.
Longitud 83,3 cm

Caballo grabado en hueso

ESTE GRABADO DE UN CABALLO es una de las obras de arte más antiguas de Gran Bretaña. Labrado en un trozo de costilla, muestra un caballo que mira a la derecha. La línea de sus crines coincide con el extremo superior de la costilla y se señala con una serie de trazos finos diagonales. Las rayas verticales sobre el caballo podrían representar lanzas o postes de cercas, posiblemente usadas para conducir a los animales al lugar donde se les daba muerte. Líneas diagonales parecidas, pero más curvadas, cubren la cara posterior.

No hay razones para dudar de que este bello dibujo sea un hallazgo auténtico de la cueva de Robin Hood en Derbyshire. Se parece mucho a los dibujos conocidos de los yacimientos del Magdaleniense Superior francés, donde tales obras de arte son mucho más corrientes. Incluso es posible que lo llevaran a Inglaterra los cazadores que seguían a los animales hasta las tierras de pasto en verano y las abandonaban al final de la temporada.

De la cueva de Robin Hood, Derbyshire (Inglaterra), con unos 12.500 años de antigüedad
Longitud 7,3 cm
Obsequio de la Comisión de Exploración de las Cuevas de Creswell

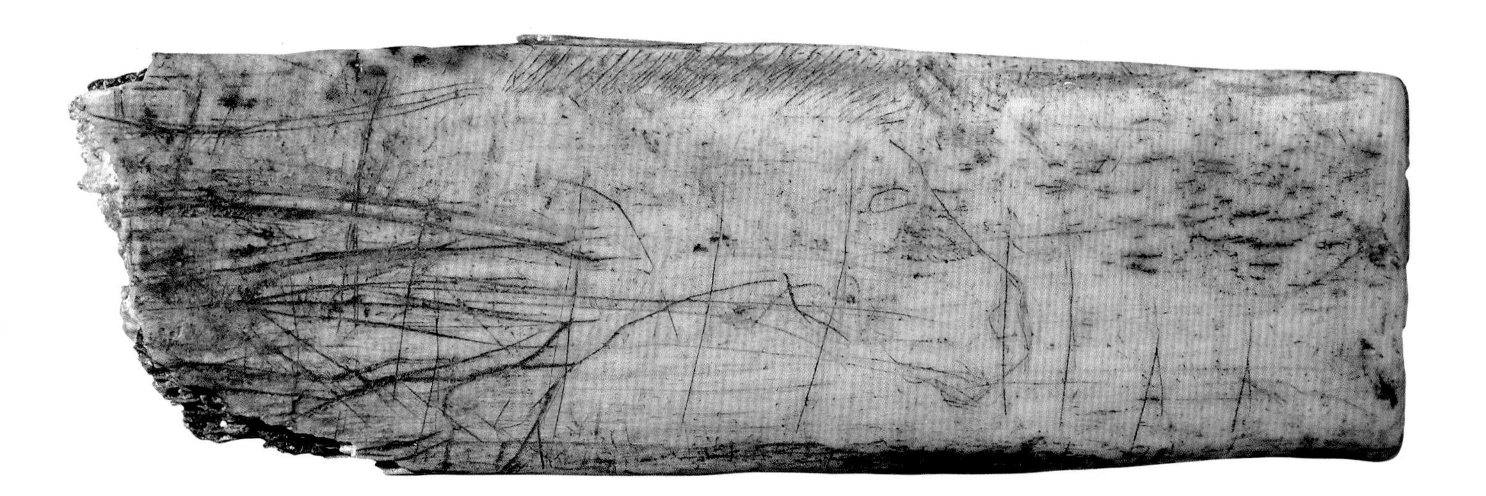

Figura de un caballo de arcilla y madera pintadas

ESTA FIGURA formaba parte del contenido de una tumba de un yacimiento en Astana, en la Ruta de la Seda, en Asia central, junto con otras figuritas de caballos y un camello. Aunque creada en arcilla y madera, se basa en los ejemplares de cerámica vidriada *sancai* que, en la época, se colocaban en las tumbas de la metrópolis, China.

La pintura del cuerpo indica que se trata de un caballo de pelaje castaño, y lleva pegados trocitos de seda en forma de pétalos. Las patas de madera servían para hincarlo en el suelo de una hornacina de la tumba. La manta de la silla está magníficamente bordada. Los restos de seda revelan el lugar del que colgaban los estribos.

Los documentos hallados en estas tumbas revelan la importancia que se concedía a los caballos en la vida cotidiana de la región. Toda una red de comunicaciones se basaba principalmente en estos animales. Se mantenían registros detallados de los recorridos que efectuaban los caballos, se castigaban los malos tratos por abandono o sobrecarga y se abrían investigaciones cuando un animal moría en la ruta.

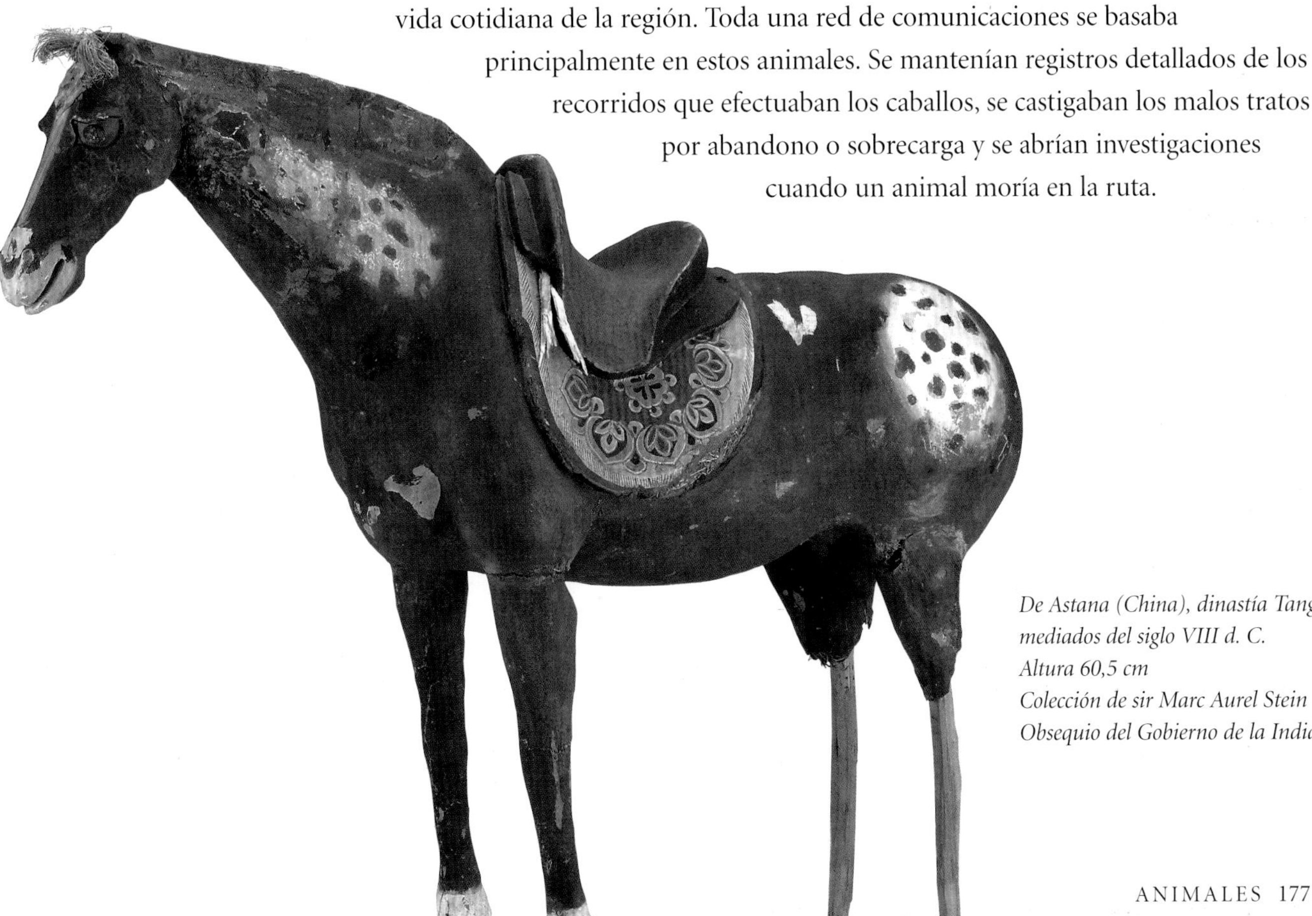

De Astana (China), dinastía Tang, mediados del siglo VIII d. C.
Altura 60,5 cm
Colección de sir Marc Aurel Stein
Obsequio del Gobierno de la India

Henri de Toulouse-Lautrec (1864–1901): *El jinete*

ESTA LITOGRAFÍA estaba originalmente destinada a formar parte de un grupo para una carpeta temática sobre carreras de caballos. En aquella época, Toulouse-Lautrec sufría un alcoholismo agudo y sólo acabó este grabado. Existen otras tres obras de la serie, pero sólo una de ellas terminada. *El jinete* se publicó en dos ediciones: una litografía monocromática y una versión en color.

Aunque la estampa se llama *El jinete*, el motivo central es la potencia y velocidad de los caballos de carreras, pues los jinetes aparecen de espaldas, sin ninguna muestras de expresividad. La habilidad de Toulouse-Lautrec como dibujante queda bien patente, al igual que su destreza para la distorsión y exageración con el objetivo de crear el ambiente y el personaje, muy clara aquí en el escorzo forzado de los cuellos de los caballos.

De Francia, 1899 d. C.
Altura 53 cm
Legado de Campbell Dodgson

Estatua de mármol de un joven a caballo

ESTA ESTATUA representa a un joven romano ataviado como un héroe: desnudo y en parte cubierto con una capa militar (*paludamentum*). Los brazos del joven y tres de las patas del caballo se restauraron en el siglo XVI.

Como las estatuas ecuestres no eran frecuentes en la antigüedad, el retratado debía de ser una persona importante. Los rasgos faciales y el peinado del muchacho recuerdan a los que llevaban los miembros de la dinastía Julio-Claudia romana. Cuando la escultura llegó al Museo se creyó que se trataba de un retrato del emperador Calígula (r. 37–41 d. C.) en su juventud. Posteriormente se pensó que la cabeza era de época anterior al cuerpo. Sin embargo, durante una limpieza reciente, se observó que el mármol de la cabeza del joven era idéntico al de las partes sin restaurar del caballo. Esto ha vuelto a dar pábulo a la posibilidad de que el caballo y el jinete sean inseparables y representen a un príncipe de la dinastía Julio-Claudia.

Romano, tallado en Italia, 1–50 d. C.
Altura 205 cm (aprox.)

Maria Sibylla Merian (1647–1717): *Caimán de Surinam luchando contra una falsa serpiente de coral sudamericana*

MARIA SIBYLLA MERIAN pasó la mayor parte de su vida en Fráncfort, Núremberg y Ámsterdam, y se especializó en la pintura de plantas, animales e insectos sobre vitela. En 1699, viajó a Surinam, colonia holandesa en Sudamérica, donde tomó multitud de notas y bocetos, y coleccionó plantas secas y animales conservados en alcohol. Regresó a Ámsterdam en 1701, donde publicó en 1705 su trabajo sobre los insectos de Surinam, la primera obra científica escrita sobre la colonia.

Merian, una figura poco convencional para su época, consiguió en las artes y las ciencias lo que pocas mujeres han logrado. Para su tiempo, su obra es científicamente muy precisa. Está considerada una de las fundadoras de la entomología, el estudio de los insectos.

Esta acuarela procede de un grupo de álbumes de Merian que poseía sir Hans Sloane, cuyas colecciones formaron la base del Museo Británico.

Surinam o Ámsterdam, hacia 1699–1705 d. C.
Altura 30,6 cm

Pipa con forma de nutria

EXCAVACIONES EN OHIO han sacado a la luz pipas magníficamente talladas y otros productos comerciales exóticos, y obras de arte que datan de la cultura Hopewell (200 a. C.–100 d. C.). Las pipas, talladas en forma de distintos pájaros y animales, posiblemente se fumaban como rito de purificación y para reforzar alianzas políticas.

Las pipas son obra de unas comunidades nativas americanas que también construyeron grandes edificaciones de tierra. El tamaño y majestuosidad de los montículos son tales que a los anticuarios europeos que los estudiaron les costó aceptar que los constructores hubieran sido nativos americanos. No obstante, actualmente se ha demostrado su autoría.

De Mound City, Ohio, América del Norte, periodo Silvícola Medio, cultura Hopewell de Ohio, 200 a. C.–100 d. C.
Longitud 11 cm

Toro de Burghead

ESTA TABLILLA GRABADA forma parte de un grupo de seis, cada una de ellas con la figura de un toro, que se hallaron juntas en el yacimiento de la importante fortaleza picta de Burghead, en la costa septentrional de Escocia. El toro es un exponente del estilo de los primeros grabados pictos, con líneas "picadas" en la superficie. Aparece en una pose vigorosa y natural, con los músculos y las articulaciones resaltados mediante volutas. Tal grado de realismo no tiene parangón en el arte medieval más temprano.

Los grabados en piedra son los principales vestigios que existen de los pueblos pictos y su cultura. Su uso y significado no se conocen con certeza. La mayoría se encuentran en monolitos, que bien podrían ser "lápidas" conmemorativas, talladas con formas animales y símbolos abstractos que identificaban a la persona muerta. Estas tablas, sin embargo, cada una con el grabado de un toro, habrían formado parte de un culto guerrero para conseguir resistencia y agresividad.

De Burghead, Morayshire (Escocia), siglo VII d. C.
Altura 53 cm
Obsequio de James de Carle Sowerby

Grupo de bronce de toro y acróbata

Esta estatuilla minoica de bronce macizo representa a un acróbata en plena voltereta sobre la cabeza de un toro, para acabar con ambos pies en el lomo del animal. Los brazos y las piernas terminan en muñones; no está claro si intencionadamente o porque el metal no llegó hasta las extremidades del molde. Los bronces minoicos suelen contener poco estaño, por lo que la mezcla no fluye bien y aparecen burbujas en su superficie.

El salto del toro figura frecuentemente en el arte minoico, y probablemente formaba parte de un ritual. Parece improbable que se efectuaran saltos de este tipo, pues los movimientos de un toro son bastante impredecibles. Puede que, en realidad, los toros estuvieran sujetos o incluso domados. También es posible que los minoicos invirtieran considerables esfuerzos y pericia en este deporte, con resultados impresionantes. Sea como fuere, no se puede descartar la licencia artística en estas obras.

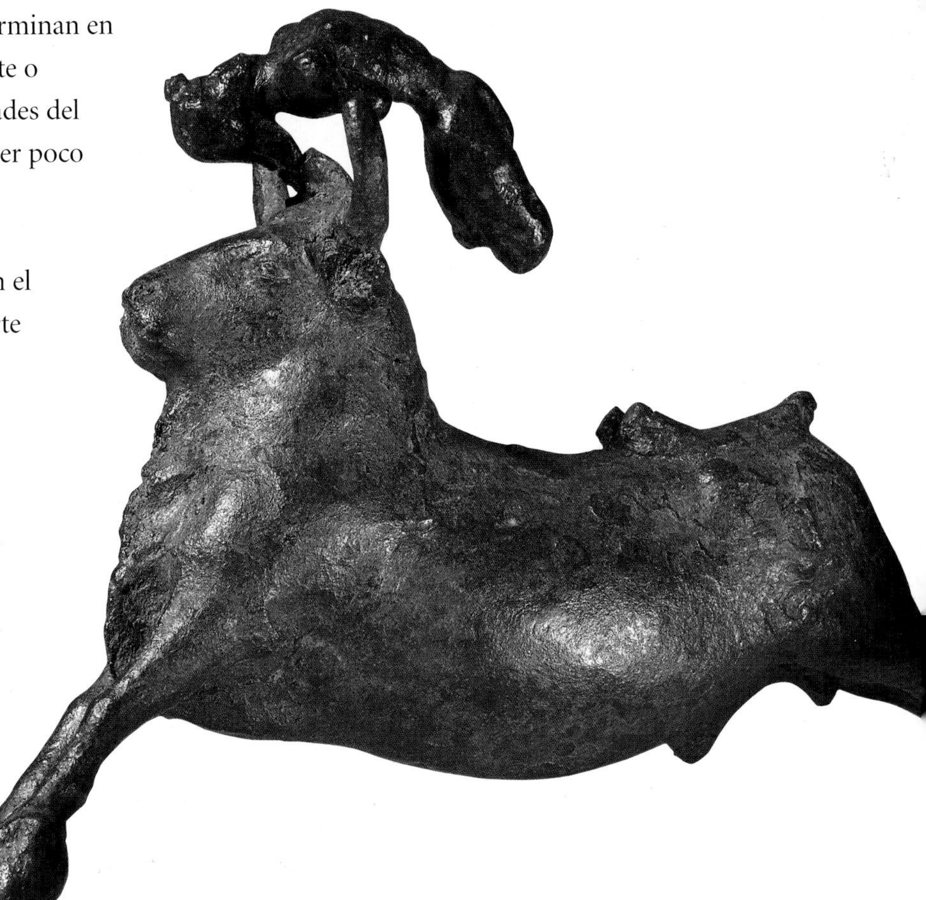

De Creta, hacia 1700–1450 a. C.
Altura 11,4 cm
Colección de Spencer Churchill

Pavo real de acero

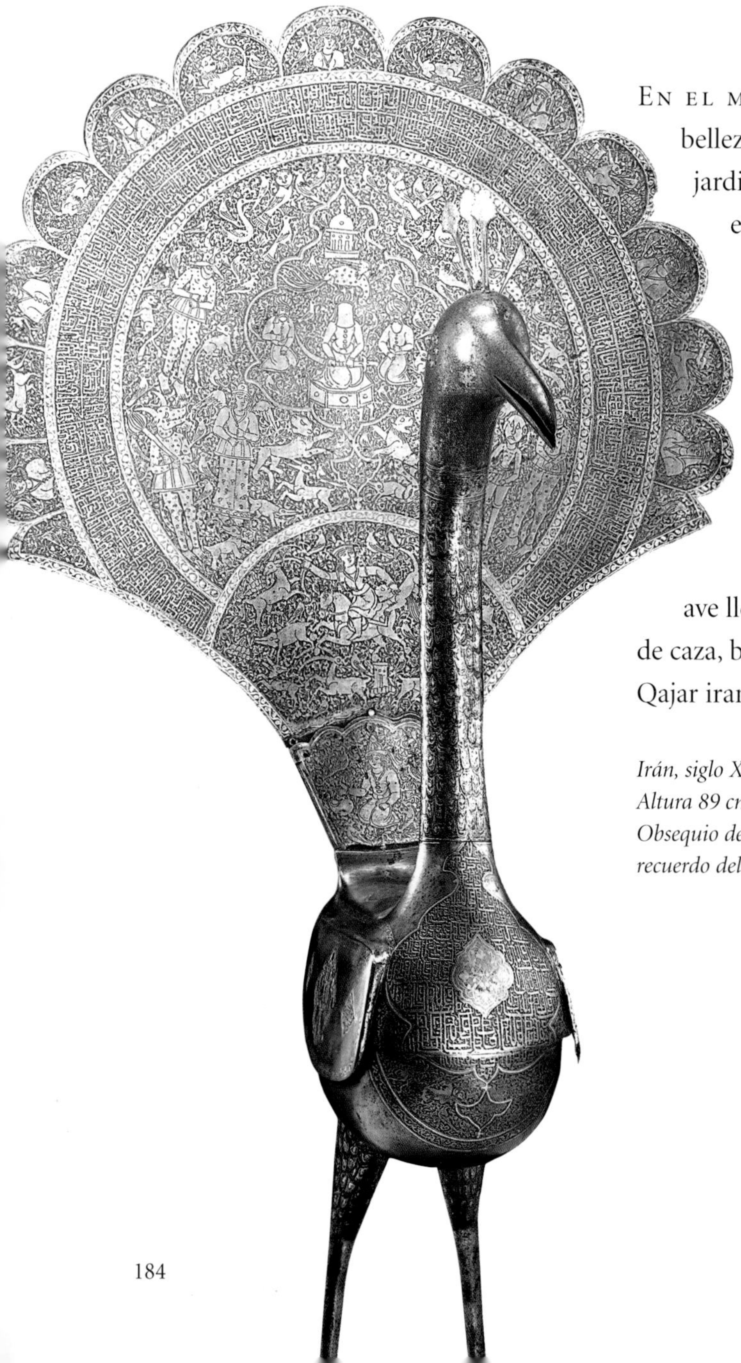

En el mundo islámico, los pavos reales simbolizaban la belleza y los placeres palaciegos y solían andar sueltos por los jardines de los nobles. Representaciones de estas aves adornaban el famoso Trono del Pavo Real, que llegó a Irán procedente de la India en 1739.

Este bello pavo real de acero, con ojos de turquesas, podría haber adornado la barra de una *alam*, un estandarte portado durante las fiestas religiosas en Irán. Una de las más importantes es Ashura, en honor a Husayn, el tercer imán chií, martirizado en 680 d. C. Husayn, su hermano Hasan y su padre, Ali (cuarto califa y primer imán chií), aparecen en el medallón central de la cola del pavo real. El ave lleva grabadas inscripciones estilizadas, espléndidas escenas de caza, bustos humanos y animales, con un estilo típico del periodo Qajar iraní (1771–1924).

Irán, siglo XIX d. C.
Altura 89 cm
Obsequio del Sr. Imre Schwaiger de Calcuta y Simla, por mediación de Art Fund, en recuerdo del Durbar Imperial

Joya del cisne de Dunstable

LA JOYA DEL CISNE de Dunstable es una insignia de librea, llevada como declaración de lealtad a una familia noble o a un rey. Es de esmalte blanco opaco, fundido sobre oro. También son de oro la cadena y la corona que el cisne lleva al cuello.

El emblema del cisne era muy popular entre los nobles medievales, deseosos de dejar claro que descendían del Caballero del Cisne del cantar de gesta cortesano. La familia inglesa más distinguida que usó este símbolo fue la de los Bohun. La Casa de Lancaster adoptó el símbolo tras la boda de Enrique de Lancaster con María de Bohun en 1380. Cuando Enrique se convirtió en el rey Enrique IV en 1399, la insignia del cisne se asoció con el Príncipe de Gales. Aunque los documentos describen piezas de joyería de librea igual de magníficas, la joya del cisne de Dunstable es el único superviviente conocido de ese tipo de insignias.

Elaborado en Francia o Inglaterra, hacia 1400 d. C.
Altura 3,3 cm
Adquirido con la aportación de Art Fund, Pilgrim Trust y la Honorable Asociación de Joyeros

Hiroshige Utagawa (1797–1858): *Puente de Suidō y Surugadai*

Este grabado de colores en madera pertenece a la serie *Cien vistas famosas de Edo*. Muestra unas cometas en forma de carpa, que vuelan sobre el distrito samurái de Surugadai durante el Festival Estival de los Niños. La carpa en pleno salto, símbolo de la perseverancia masculina, aparece aquí a una escala exagerada, como adherida artificialmente al paisaje.

Cien vistas famosas de Edo (1856–58) supuso el logro definitivo y supremo de la carrera de Hiroshige. Veintiuna de las vistas contienen el monte Fuji en el horizonte lejano, y tres de ellas plasman las colinas artificiales "mini Fujis", que construyeron los miembros del Fuji-kō (el culto al Fuji). Se trataba de una hermandad que fomentaba el peregrinaje, rituales y oraciones dedicadas al monte Fuji, que hacia 1825 registraba 70.000 devotos. Los mini Fujis se erigían en parques, para que los enfermos (u holgazanes) llevaran a cabo una peregrinación alternativa, o para el disfrute general como una especie de parque de atracciones.

De Japón, 1857 d. C.
Altura 36 cm
Regalo de Henry Bergen

Pieter van der Heyden (1538–72):
El pez grande se come al chico

El grabador Pieter van der Heyden produjo más de 150 estampas para el editor Hieronymus Cock, que reproducían diseños de El Bosco, Bruegel y otros artistas. En primer plano de esta obra, un padre instruye a su hijo: "Mira, el pez grande se come al chico". El hombre señala el pez con tamaño de ballena varado en la orilla, que regurgita peces pequeños, quienes a su vez han tragado otros más pequeños todavía. El texto situado en el marco reza: "Los ricos te oprimen con su poder".

La inscripción "Hieronijmus Bos inventor", en la parte inferior izquierda, puede llevar a error. Jerónimo El Bosco (hacia 1450–1516) era famoso por sus criaturas amalgamadas, como el pez con piernas pintado aquí sobre su nombre, o el pez que vuela por el cielo. Sin embargo, esta composición es sin duda obra de Bruegel el Viejo (1515–69), pues se conserva el boceto preparatorio con su firma y la fecha de 1556, aunque podría basarse en un prototipo perdido de El Bosco.

De Flandes, fechado en 1557 d. C.
Altura 23 cm

Figura de una cabra en madera dorada

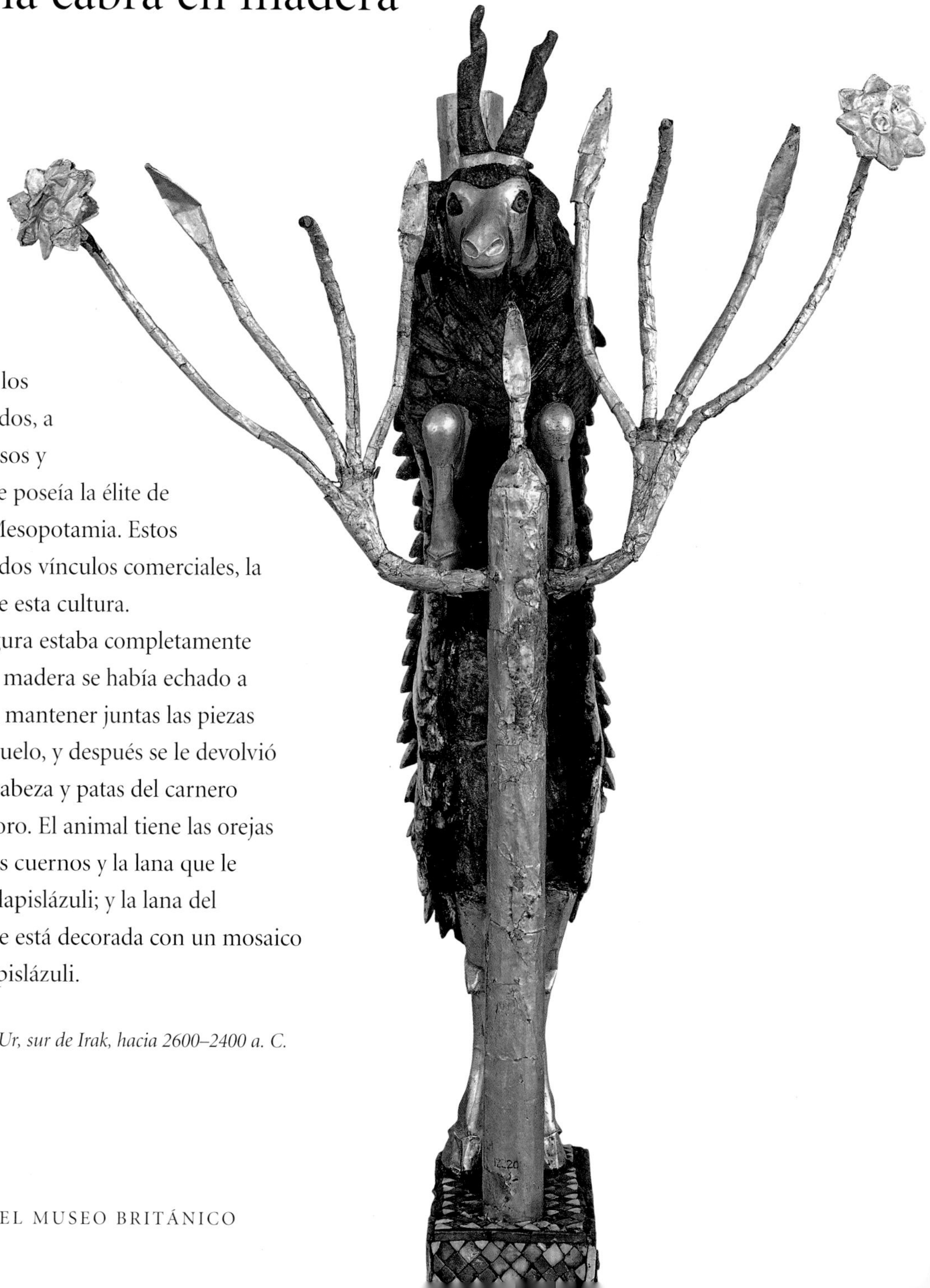

Esta figura, llamada también "El carnero en el matorral", posiblemente formó parte de un pedestal o soporte. Es un ejemplo de los objetos bellamente trabajados, a menudo en metales preciosos y materiales importados, que poseía la élite de habla sumeria del sur de Mesopotamia. Estos objetos reflejan los afianzados vínculos comerciales, la riqueza y la sofisticación de esta cultura.

Cuando se excavó, la figura estaba completamente aplastada y su armazón de madera se había echado a perder. Se utilizó cera para mantener juntas las piezas mientras se levantaba del suelo, y después se le devolvió la forma. El matorral y la cabeza y patas del carnero están cubiertos de pan de oro. El animal tiene las orejas de cobre (ahora verdes), los cuernos y la lana que le cubre los hombros son de lapislázuli; y la lana del cuerpo, de conchas. La base está decorada con un mosaico de conchas, caliza roja y lapislázuli.

Excavado en el "cementerio real", Ur, sur de Irak, hacia 2600–2400 a. C. Altura 45,7 cm

Arrojador de lanzas en forma de mamut

Los arrojadores de lanzas se usaron hace unos 18.000 años en Europa occidental. La parte inferior de la lanza se insertaba en el gancho de su extremo. Un arrojador imprime más fuerza, velocidad y distancia a la lanza que cuando ésta se tira sólo con la mano.

Los extremos en gancho de los arrojadores de lanzas suelen estar decorados con un animal. Este ejemplar se ha tallado con forma de mamut a partir del asta de un reno. Los colmillos del mamut se aprecian a cada lado del mango, buena parte del cual se rompió en tiempos remotos. Se trata del único ejemplar que tiene un agujero por ojos (que probablemente llevaba incrustada una pieza de hueso o de piedra). El gancho es también inusual porque se reparó en la antigüedad. El gancho original tallado se rompió y se arregló cortando un trozo de la parte posterior e insertando una pieza de hueso o asta.

Del abrigo rocoso de Montastruc, Tarn-et-Garonne (Francia), Magdaleniense Superior, hace unos 12.500 años
Longitud 12,4 cm
Colección Christy

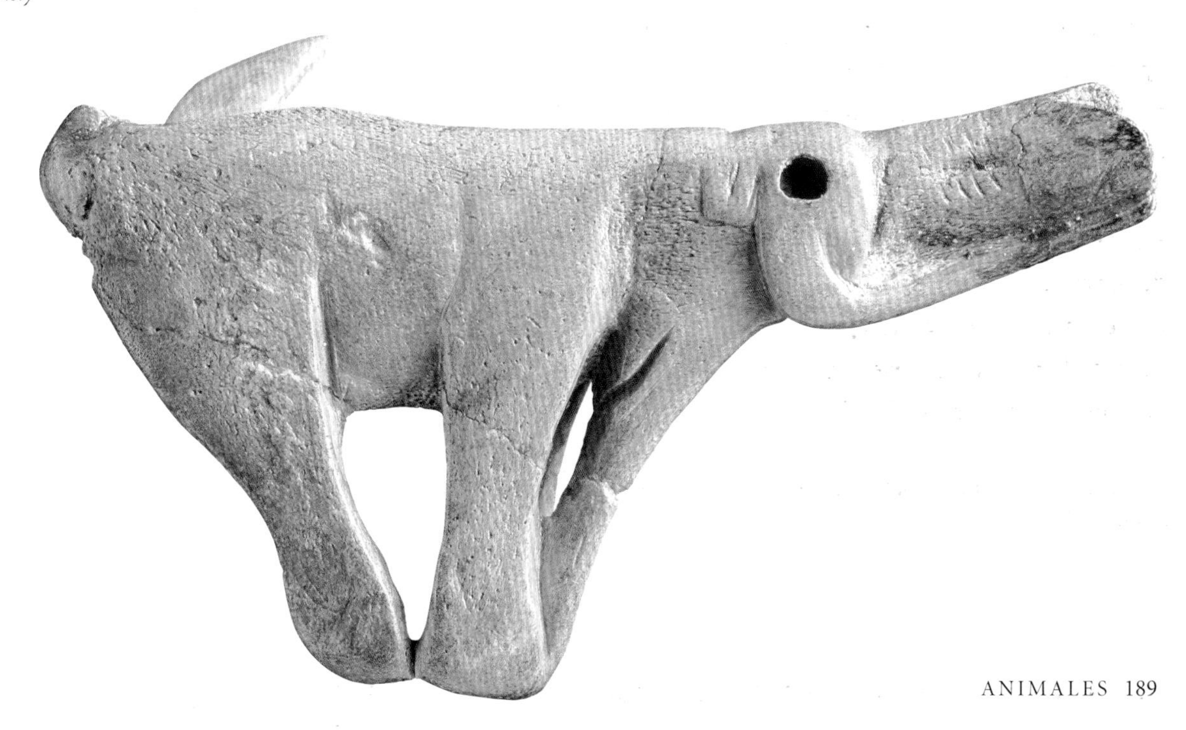

8 La Palabra

El objeto que casi todos los visitantes del Museo desean ver no es una magnífica obra de arte, ni siquiera una momia de Egipto, sino un trozo de roca negra cubierta de inscripciones, llamada Piedra de Rosetta. La importancia que esta piedra ha tenido en el desciframiento de los jeroglíficos egipcios la convierte en una pieza de visita obligada. Algunos objetos del Museo han desempeñado labores parecidas en el redescubrimiento de clásicos perdidos de la literatura mundial, otros han demostrado el poder formidable de las palabras y otros nos recuerdan que algunas escrituras antiguas no se han descifrado todavía.

Panel de mármol

Una colección de objetos del museo mucho menos conocida, pero no por eso menos importante, contiene los restos de una de las grandes bibliotecas de la antigüedad, que reunió el rey asirio Asurbanipal en el norte de la actual Irak, posiblemente incluso mayor que la más famosa biblioteca de Alejandría (Egipto). Las excavaciones llevadas a cabo en el siglo XIX sacaron a la luz más de 30.000 tablillas de arcilla y fragmentos supervivientes a la destrucción del palacio en el que se encontraba la biblioteca. Las tabletas, en su escritura cuneiforme, incluían documentos como registros administrativos y obras científicas, religiosas y literarias. La primera traducción moderna de uno de los grandes poemas clásicos de la literatura mundial, la epopeya de Gilgamesh, fue obra de un conservador del Museo Británico del siglo XIX, George Smith. El poema incluye la narración de un diluvio, muy similar a la de Noé del Antiguo Testamento. Era la primera vez que se descubría otra versión del diluvio, y su hallazgo incidió enormemente en las ideas de la gente sobre la religión y la historia. Causó tal impacto en el propio Smith que, según se cuenta, "... saltó del asiento, corrió por la sala en un estado de gran excitación y, para sorpresa de los presentes, procedió a desnudarse".

Tablilla de Vindolanda

La cuneiforme es una de las formas de escritura más antiguas. Surgió en el sur de Irak más de 2.000 años antes de que Asurbanipal creara su biblioteca. En el Museo también se encuentran ejemplos de sus textos más antiguos. Al parecer, la escritura cuneiforme se originó con el objetivo de mantener registros administrativos, como asignaciones de cerveza o grano. Otras lenguas y sistemas de escritura tienen orígenes diferentes, y algunas, como la escritura de la civilización del valle del Indo, no se han descifrado todavía.

Muchos de los ejemplos de escritura que contiene el Museo son textos oficiales, incluidas inscripciones y proclamaciones públicas en piedra (como la Piedra de Rosetta), frases halladas en monedas y dinero e incluso firmas, como la *tugra* de un sultán otomano. Sin embargo, también hay comunicaciones más íntimas, como las delicadas cartas escritas en finos fragmentos de madera, procedentes del fuerte romano de Vindolanda, en la Muralla de Adriano. Lamentablemente, buena parte de las escrituras del mundo se han inscrito en materiales perecederos, como papel, papiro, seda, bambú, arcilla y madera, y muy poco ha sobrevivido. En Vindolanda, sin embargo, debido a una rara mezcla de factores, se ha conservado un mazo de cartas que contienen ejercicios escolares y una invitación a una fiesta de cumpleaños celebrada hace casi 2.000 años.

Tablilla cuneiforme con registro de provisiones

Con la urbanización de las primeras ciudades del mundo en el sur de Mesopotamia hacia 3400–3000 a. C., sus escribas encontraron la manera de registrar información administrativa y económica. Las representaciones de los productos distribuidos en raciones o almacenados se garabateaban en pedazos de arcilla con un palillo o una caña afilada. Las inscripciones circulares o en forma de media luna representaban las cantidades. Estos pictogramas se hicieron cada vez más abstractos hasta que, al final, la caña simplemente se presionaba contra la arcilla para dejar líneas en forma de cuña (*cuneus* en latín) o cuneiformes.

Esta tablilla registra la asignación de las raciones. Un pictograma representa una cabeza humana con un objeto triangular, que parece un cuenco, junto a la boca. El triángulo es el símbolo habitual del pan, y esta combinación de pictogramas expresa la idea de comer. Se usó posteriormente para escribir en sumerio el verbo *ku*, "comer".

Probablemente del sur de Irak, hacia 3000 a. C. Altura 0,45 cm

Tugra de Solimán el Magnífico

ESTE EMBLEMA CALIGRÁFICO se llama *tugra* y era el monograma oficial o firma de los sultanes otomanos. Se implantó durante el siglo XIV en documentos y, a partir de ahí, su uso se extendió a sellos y monedas. El calígrafo de la corte diseñaba una *tugra* al comienzo del reinado de un nuevo sultán. Se cree que representaba un pájaro fabuloso, el *tugri*, el totem de la tribu Oghuz, de la que descendían los otomanos.

Durante el siglo XVI y principios del XVII, los otomanos dominaron el sudeste de Europa y el Egeo. La estrecha identificación con su fe islámica llevó a los sultanes a adoptar además el título de califas del islam a partir de 1517. El imperio alcanzó su apogeo durante Solimán I el Magnífico (r. 1520–66), cuyos dominios se extendían desde Persia por el este hasta Austria por el oeste. Su sistema de legislación sobre la propiedad de las tierras le granjeó el sobrenombre de "El legislador", y también se convirtió en un gran mecenas de las artes.

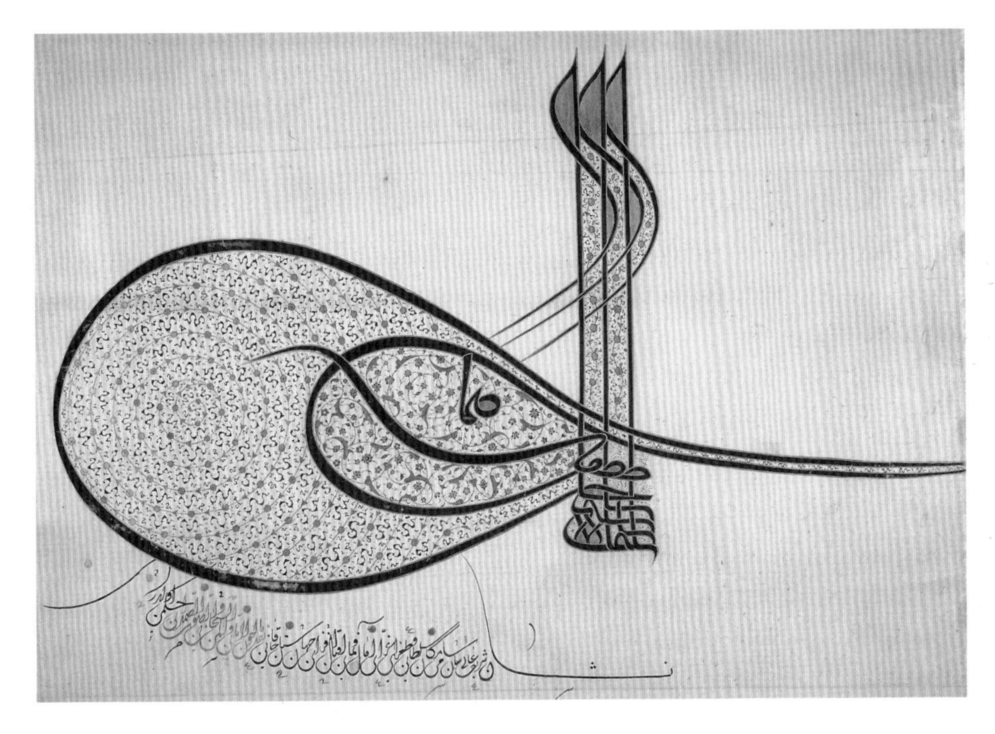

De Turquía, 1520–66 d. C.
Altura 34,2 cm
Longitud 61 cm

Piedra de Rosetta

ESTA PIEDRA LLEVA inscrito un decreto promulgado en el aniversario de la coronación del faraón de Egipto Ptolomeo V (205–180 a. C.). El decreto está anotado en jeroglíficos (la escritura propia de un decreto sacerdotal), demótico (escritura cotidiana) y griego (el idioma administrativo).

El ejército de Napoleón descubrió la piedra en 1799, durante la excavación de fortificaciones cerca de la ciudad de el-Rashid (Rosetta). Tras la derrota de Napoleón, la piedra se convirtió en propiedad británica. La importancia de esta inscripción trilingüe para la egiptología es inmensa. El conocimiento y comprensión de los jeroglíficos desaparecieron poco después del siglo IV d. C. Unos 1.400 años después, los estudiosos pudieron usar la inscripción en griego que aparece en esta piedra para descifrarlos. Thomas Young demostró que varios jeroglíficos representaban el nombre "Ptolomeo". A continuación, Jean-François Champollion comprendió que los jeroglíficos transmitían también sonidos del idioma egipcio, todo un avance en su desciframiento.

Excavada en el fuerte Saint Julien, el-Rashid (Rosetta) (Egipto), 196 a. C.
Altura 114 cm (máx.)
Obsequio de S.M. Jorge III

Pilar con edicto del emperador Asoka

Este fragmento de un pilar contiene una inscripción de Asoka, el último emperador de la dinastía Maurya (r. hacia 265–238 a. C.). Está escrita en brahmi, antecesor de todas las escrituras indias modernas. Seguramente, la técnica de la escritura se desarrolló en la India mucho antes, pero nada legible ha sobrevivido, por lo que estos edictos constituyen registros históricos de gran importancia.

Aunque el texto de este ejemplar no es específicamente budista, se refiere a la política personal y benevolente del emperador hacia todas las sectas y clases, que él llama *dhamma*, una palabra que también usan los budistas para designar su religión. Los pilares en sí mismos estaban revestidos de un gran simbolismo y eran muy venerados. El pilar maurya más famoso se encuentra en Sarnath, donde Buda pronunció su primer sermón. La escultura que lo corona, un león de cuatro cabezas, se ha adoptado como símbolo de la República de la India, y la *chakra* (rueda) que lo remataba se usa como motivo central de la bandera india.

Probablemente del pilar Meerut, Uttar Pradesh (India), hacia 238 a. C.
Altura 33,6 cm

Tablilla de madera

Esta tablilla de madera forma parte del grupo excavado en el yacimiento del fuerte romano de Vindolanda, en Northumberland (Inglaterra). Contiene uno de los primeros ejemplos conocidos de escritura en latín de una mujer. Se trata de una invitación a una fiesta de cumpleaños, de Claudia Severa a Sulpicia Lepidina, ambas "esposas del ejército" que vivían en la frontera septentrional de la Britania romana.

Un escriba fue el autor de la mayor parte de la tablilla: "Claudia Severa a su Lepidina. Saludos. El 11 de septiembre, hermana mía, para celebrar el día de mi cumpleaños, te hago llegar una cariñosa invitación para asegurarme de que vengas a vernos y que hagas más agradable esta jornada con tu presencia (?). Saluda de mi parte a tu Cerial. Mi Aelio y mi hijito os (?) envían sus saludos". Al final de estas líneas escribe la propia Severa: "Te espero, hermana. Adiós, hermana, mi alma querida, te deseo prosperidad y salud".

Del fuerte romano de Vindolanda (actual Chesterholm), Northumberland, Britania romana, hacia 97–103 d. C.
Longitud 22,3 cm

Códice Zouche-Nuttall

ESTE CÓDICE forma parte del pequeño grupo de manuscritos mexicanos (libros manuscritos desplegables) que sobrevivió a la conquista española de 1521. Se elaboraron cientos e incluso miles de libros de este tipo, pero los misioneros españoles destruyeron la mayor parte, por considerarlos manifestaciones del maligno.

Los manuscritos mexicanos no contienen información escrita en forma de palabras, sino dibujos e ideogramas (representaciones de ideas), que sirven para que el lector recite en voz alta su contenido. Este ejemplar es obra de los escribas de los pueblos mixtecas de la región de Oaxaca. Contiene dos narraciones: por una cara refiere la historia de centros importantes de la región mixteca y, por la otra, empezando por el extremo opuesto, registra la genealogía, matrimonios y gestas políticas y militares del gobernante mixteca Ocho Venado Garra de Jaguar. El soberano aparece en el centro de la parte superior, junto a su nombre caléndrico (ocho círculos y una cabeza de venado).

De México, mixteca, periodo posclásico tardío (1200–1521 d. C.)
Longitud 113,5 cm
Altura 19 cm
Donación de la baronesa Zouche de Haryngworth

Sellos de esteatita del valle del Indo

Los sellos son característicos de la fase de la civilización del Indo en la que se formaron las primeras ciudades de la zona (hacia 2500–1900 a. C.). Se crearon con diversas formas, aunque la más típica es la cuadrada, con un botón perforado en el reverso y un dibujo tallado en el anverso. El motivo más habitual es el unicornio, pero algunos contienen únicamente grafías, diseños geométricos, escenas narrativas y una gran variedad de otras criaturas.

No está claro para qué se usaban estos sellos, aunque quizá tengan algo que ver con el comercio, pues tanto ellos como sus impresiones se han encontrado en el extranjero. Las inscripciones que se encuentran en los sellos son las escrituras más antiguas del sur de Asia. Como no existen textos bilingües ni grafías superiores a 21 caracteres, la escritura del Indo sigue sin descifrarse y su lenguaje se desconoce. Los sellos son útiles, sin embargo, para reconstruir la economía, el arte y la religión de la época en la región.

De Harappa y Mohenjo-Daro, moderno Pakistán, hacia 2600–1900 a. C.
Diámetro unos 3 cm
Obsequio del director general de arqueología de la India.

Jarrón Fenton

LAS VASIJAS DE CERÁMICA de colores, como este "jarrón", eran símbolos de poder y prestigio para los mayas de Mesoamérica. Las usaba la élite y se encontraban a modo de ofrendas en lujosos enterramientos. Las vasijas suelen estar decoradas con textos e imágenes que ilustran sucesos históricos y mitológicos y las convierten en una fuente de información importante sobre la sociedad maya del periodo clásico (200 a. C.–900 d. C.). En las escenas aparecen escribas, mercaderes, gobernantes y otros miembros de la sociedad.

Este bello ejemplar se halló en un yacimiento maya de las tierras altas de Guatemala. La pintura representa la ofrenda de un tributo a un noble, que aparece sentado. Encima de la cesta que se le entrega aparecen seis jeroglíficos que indican su nombre y títulos. El otro panel de glifos corresponde a las otras figuras de la escena. Sus joyas, ropajes y turbantes adornados con flores sugieren que se trata de miembros de la élite.

Maya, de Nebaj (Guatemala), periodo clásico tardío (600–800 d. C.)
Diámetro 17,2 cm
Colección Fenton
Adquirido con la aportación de Art Fund

Cilindro de Ciro

ESTE CILINDRO DE ARCILLA contiene inscripciones cuneiformes en babilonio, en las que el propio Ciro, rey de Persia (559–530 a. C.), narra su conquista de Babilonia en 539 a. C. y la captura de Nabonido, el último rey babilonio.

Ciro describe también las medidas de ayuda que promulgó para los habitantes de la ciudad, y explica que devolvió varias imágenes de dioses que Nabonido se había llevado de Babilonia a sus correspondientes templos de Mesopotamia y del occidente de Irán. También ordenó la restauración de dichos templos y organizó el regreso a sus tierras de las personas que los reyes habían confinado en Babilonia.

Se ha llegado a describir el cilindro como "la primera declaración de los derechos humanos", pero es producto de una larga tradición en Mesopotamia, donde, ya desde el tercer milenio a. C., los soberanos empezaban sus reinados con una declaración de reformas.

De Babilonia, sur de Irak, hacia 539–530 a. C.
Longitud 22,5 cm

Listas de los reyes de Egipto de un templo de Ramsés

La cronología de los gobernantes de Egipto se basa en diversas fuentes: una lista que compiló el historiador Manetón en el siglo III a. C., inscripciones fechadas y documentos en papiro, referencias a hechos astronómicos identificables y catálogos de reyes inscritos en papiro y piedra.

Esta lista en caliza de los reyes egipcios se excavó en un templo en honor a Ramsés II (r. 1279–1213 a. C.). La relación nos dice tanto del concepto que los egipcios tenían de la historia como de la cronología de sus reyes. Los nombres de los antepasados de Ramsés II aparecen en cartuchos, empezando por la parte superior derecha. El cartucho con su propio nombre se repite varias veces en la parte inferior. Originalmente contenía 76 nombres reales, aunque se omitieron los monarcas cuyos reinados se consideraban polémicos, como los reyes hicsos del levante (r. 1650–1550 a. C.), la reina Hatshepsut (r. 1491–1479 a. C.) y el faraón Akenatón (hacia 1390–1352 a. C.).

De Abidos (Egipto), XIX dinastía, hacia 1250 a. C.
Altura 13,5 cm
Excavadas por W. J. Bankes

Tablilla del diluvio

Se trata de la tablilla cuneiforme más famosa de Mesopotamia. Es la undécima tablilla de la epopeya de Gilgamesh, las aventuras de un soberano legendario de Uruk. La tablilla narra el encuentro de Gilgamesh con Utnapishtim, quien, al igual que Noé en la Biblia, había recibido el aviso de una gran inundación. Construyó una embarcación, la cargó con todo lo que pudo encontrar y sobrevivió al diluvio mientras la humanidad se anegaba. La barca encalló en un monte llamado Nimush, y Utnapishtim soltó una paloma y una golondrina, que regresaron sin haber encontrado tierra firme. Al final soltó un cuervo que no volvió, lo que indicaba que las aguas se había retirado.

George Smith, un ayudante del Museo, descifró la versión del diluvio bíblico en 1872. Cuando leyó el texto, "...saltó del asiento, corrió por la sala en un estado de gran excitación y, para sorpresa de los presentes, procedió a desnudarse".

De Nínive, norte de Irak, siglo VII a. C.
Longitud 15,2 cm
Anchura 13,3 cm

Papiro matemático Rhind

ESTE PAPIRO EGIPCIO no contiene un tratado teórico, sino una relación de problemas matemáticos prácticos que surgen en trabajos administrativos y en la construcción. El texto contiene 84 problemas sobre operaciones con números, soluciones prácticas y formas geométricas. Entre otros se incluyen métodos para determinar el gradiente de una pirámide, y la multiplicación y división de quebrados. La mayoría de los egipcios alfabetizados eran escribas, y de ellos se esperaba que cumplieran diversas tareas que exigían conocimientos de matemáticas y de escritura.

Este papiro tiene también importancia como documento histórico, pues el copista anotó que se elaboró en el año 33 del reinado de Apofis, el penúltimo rey de la XV dinastía de los hicsos (hacia 1650–1550 a. C.), copia de un original de la XII dinastía (hacia 1985–1795 a..C.).

El papiro lleva el nombre de un abogado escocés, A. H. Rhind, quien lo adquirió durante una visita a Tebas en la década de 1850.

De Tebas (Egipto), hacia 1550 a. C.
Altura 32 cm

Dinar de oro del califa Abd al-Malik

MUCHAS ACUÑACIONES DE las primeras monedas islámicas llevaban retratos, incluso del propio califa. Como el islam prohíbe las representaciones pictóricas de humanos o animales para evitar la idolatría, los clérigos musulmanes empezaron a condenar el uso de imágenes en monedas. En 696–97 d. C., el califa omeya Abd al-Malik (r. 685–706 d. C.) reformó las monedas islámicas, y todas las imágenes se sustituyeron por inscripciones. Junto con los nuevos motivos se introdujo un nuevo sistema de pesos. El sistema original bizantino de 4,55 g se rebajó a 4,25 g, una masa llamada "el mithqal".

Este dinar formó parte de la primera emisión del nuevo diseño. A partir de este momento, las inscripciones predominaron en las monedas islámicas. Éstas de aquí, en la angular grafía cúfica, no incluyen el nombre del califa ni la casa de la moneda, sino que declaran en árabe la esencia del mensaje musulmán, la profesión de fe islámica, la *shahada*.

Probablemente acuñado en Siria, 77 a. h./ 696–97 d. C.
Diámetro 1,9 cm
Peso 4,25 g
Obsequio de E.T. Rogers

Billete de curso legal del tesoro del gran Ming

CUANDO LA DINASTÍA Ming arrebató el control de China a los mogoles en 1368, intentó reinstaurar las monedas de bronce. Sin embargo, no había metal suficiente para ello, por lo que, a partir de 1375, se emitió dinero en papel de corteza de morera. El papel moneda siguió en circulación durante todo el periodo Ming, pero pronto lo devaluó la inflación. Las consecuencias fueron tan devastadoras que el papel moneda dejó de estar bien visto durante muchos años. Hasta la década de 1850 ningún otro emperador chino se atrevió a emitir de nuevo dinero de papel.

La inscripción en la parte superior del billete reza: "Billete de curso legal del tesoro del gran Ming". Por debajo, se especifica su valor con dos caracteres: "una sarta". Los sigue un dibujo de una sarta de 1.000 monedas, divididas en diez grupos de 100. A continuación se indican las instrucciones de uso y un aviso de castigo para los falsificadores.

De China, dinastía Ming, primera emisión en 1375 d. C.
Altura 34,1 cm

9 Comida y Bebida

La comida y la bebida compartidas se sitúan en el centro de muchas celebraciones del mundo entero, incluidos actos oficiales y rituales religiosos, al igual que en las actividades cotidianas que llevamos a cabo con nuestra familia y amistades. Lo que las personas comen forma parte de lo que son y de lo que aspiran a ser. Pero no sólo tienen importancia la comida y la bebida: también los objetos y vasijas que se usan para preparar los alimentos y consumirlos conforman la esencia del ser humano. Miles de piezas en todo el Museo son testigos mudos de la historia de la comida y bebida en el mundo, y no es de extrañar, que a través de muchos de ellos se buscara expresar la riqueza y la importancia de sus dueños.

La mayoría de los objetos que componen este capítulo se crearon para ocasiones especiales, ya fueran banquetes, fiestas o ceremonias y rituales religiosos. Compartir la comida y la bebida con otros adoradores o con los dioses y antepasados es una característica común a muchas religiones. Los objetos que mejor resumen visualmente la Edad de Bronce en China son las vasijas del periodo Shang, parecidas al *gui* que se incluye en este capítulo. Estos recipientes tenían formas específicas para ofrendas rituales de alimentos y vino. Igualmente, las vasijas de plata del tesoro de Water Newton (Inglaterra) pueden figurar entre los objetos más antiguos de los usados en el culto cristiano que nos han llegado del Imperio Romano.

Azucarero de vidrio azul

Otras piezas se crearon para banquetes y comidas seculares. Los ejemplos procedentes de las diferentes culturas demuestran que las diversas maneras en las que se servían los alimentos a los invitados y familiares, amigos y enemigos, han tenido una gran importancia social y política. Esta relevancia queda patente en los extraordinarios objetos que se elaboraron para realzar dichos convites, ya fuera para servir los alimentos o para que atrajeran las miradas de los comensales, una característica que un experto describió como "la tecnología del embeleso". Dan buena prueba de ello objetos tan distintos como el gran plato de Mildenhall, el aguamanil Blacas, las jarras de Basse Yutz y la copa real medieval de Francia, aunque sus formas varíen en consonancia con las funciones prácticas que desempeñaban.

Este capítulo contiene principalmente piezas recargadas que usaron los ricos y poderosos. Están hechas de materiales exóticos, como el oro o la plata; muchas requirieron largas horas de trabajo experto para su producción. Comprensiblemente, las más grandes, como el plato de Mildenhall, se han convertido en las grandes estrellas del Museo, pero las colecciones incluyen también muchos miles de ejemplos más mundanos de cuencos y platos, vasijas de cocina y piedras para moler, creados en los últimos 10.000 años en todos los rincones del mundo. Las formas, colores y decoraciones de los miles de cacharros de cocina expuestos en el Museo varían enormemente según sus funciones. Fácilmente, estos objetos cotidianos se pueden pasar por alto en las galerías, comparados con las piezas extravagantes usadas en las grandes ocasiones, pero estos utensilios comunes y corrientes ofrecen la prueba histórica y material de la historia humana.

Jarra de Basse-Yutz

Aguamanil de cristal tallado de Cristalleries de Baccarat

ESTE AGUAMANIL VIRTUOSISTA es obra de la fábrica francesa Cristalleries de Baccarat, envidiada en toda Europa por la pureza de su cristal. Se fabricó para exhibirlo como modelo en su género en la Feria Universal de París de 1878, una exposición que anunció al mundo la recuperación de Francia de la Guerra Franco-Prusiana (1871). Los fabricantes de diferentes países crearon este tipo de piezas de exhibición para poner de manifiesto su pericia técnica y artística.

El aguamanil de cristal soplado combina el virtuosismo técnico con un diseño increíblemente original. El pitorro forma la boca de un monstruo marino; el cuello y los hombros se tallaron al torno para otorgar escamas al cuerpo del monstruo, que termina en colas entrelazadas y adornadas con hiedra. La idea de crear criaturas fabulosas en cristal nació a principios del siglo XVII con las vasijas de cristal de roca talladas con una decoración fantástica. Estas vasijas, que habían formado parte de la Colección Real Francesa exhibida en el Louvre durante unos cien años, sirvieron de modelo a Baccarat.

Fabricado en las Cristalleries de Baccarat, Lorraine (Francia), 1878 d. C.
Altura 31,9 cm

Jarra de Basse-Yutz

ESTA JARRA DE BRONCE forma parte de la pareja considerada uno de los ejemplos artísticos más bellos de la cultura La Tène temprana. Se elaboraron en el este de Francia, aunque con la forma de las vasijas etruscas del norte de Italia. Usadas originalmente para verter bebida en banquetes, las jarras se enterraron probablemente como tesoros funerarios en una rica sepultura, donde también se hallaron dos grandes jarros de bronce elaborados en la Italia etrusca.

En el diseño de las jarras se halla una mezcla de influencias: las asas en forma de perro o lobo se basan en el arte griego o etrusco, pero con un estilo local; las palmetas bajo los pitorros son un motivo popular celta, originario de Egipto a través de Grecia; el trenzado lleva incrustaciones de coral del Mediterráneo, y la tapa de esmalte rojo, quizás de Asia Menor. El pato en el extremo del pitorro, sin embargo, es un elemento autóctono. Las jarras se usaban para servir cerveza, aguamiel o vino en los festines.

De Basse-Yutz, Lorraine (Francia), hacia 400 a. C.
Altura 39,6 cm

William Hogarth (1697–1764): *La calle de la ginebra*

ESTE GRABADO surgió como parte de la campaña de 1750 contra el consumo de ginebra, un licor que causó estragos en Londres en la primera mitad del siglo XVIII. Se le atribuía la baja natalidad y la creciente mortalidad infantil. La campaña condujo a la Ley de la Ginebra de 1751, que creó los permisos para los locales de venta y consiguió reducir el consumo.

La calle de la ginebra forma pareja con *La calle de la cerveza*, en la que aparece una saludable clase trabajadora consumiendo jarras de cerveza, la bebida nacional inglesa, en claro contraste con los escuálidos bebedores de un licor extranjero que ha reducido a la población a un grupo de borrachos desenfrenados. Esta escena está ambientada al norte de Covent Garden, una zona sumida en la pobreza. Todo el mundo bebe ginebra, desde los bebés y las jóvenes de la caridad (identificables por sus cofias y delantales del uniforme e insignias en las mangas), hasta una anciana metida en una carretilla.

De Londres (Inglaterra), 1 de febrero de 1751
Altura 38,5 cm

Tazas de oro Palmerston para chocolate

LOS ESPAÑOLES LLEVARON el chocolate a Europa tras la conquista del Imperio Azteca en 1521. Era un lujo tan caro que sólo los más ricos podían permitirse beberlo. Ésta es la única pareja de tazas de chocolate hecha de oro que se conoce. Más extraño todavía es el hecho de que el oro proceda de anillos de luto fundidos, objetos que solían heredarse en las familias y se conservaban como un tesoro. Lady Palmerston, sin embargo, llevó varios anillos que había heredado a John Chartier, importante orfebre hugonote, quien los fundió y creó las copas.

Las inscripciones en el interior del asa y la base rezan: *DULCIA NON MERUIT QUI NON GUSTAVIT AMARA* ("No merece probar el dulce quien no ha probado amarguras") y *MANIBUS SACRUM* ("Consagrado a los espíritus de los antepasados"); en la otra: Think on yr Friends & Death as the chief ("Piensa en tus amigos y en la muerte como guía") y *MORTVIS LIBAMVR* ("Bebamos por los difuntos").

Hechas en Londres, 1700 d. C.
Altura 6,4 cm
Adquiridas con la ayuda de National Heritage Memorial Fund, Art Fund y donativos privados.

Copa real de oro

ESTA COPA DE ORO MACIZO está lujosamente decorada con esmaltes traslúcidos, que representan la vida y milagros de Santa Inés. Fue un regalo al rey Carlos VI de Francia (r. 1380–1422) de su tío Jean, duque de Berry (1340–1416). Es posible que el duque mandara crear la copa para su hermano Carlos V, nacido el día de Santa Inés, 21 de enero, pero éste murió antes de que estuviera terminada.

La copa llegó a ser propiedad de John, duque de Bedford (1391–1447), regente en Francia del rey inglés Enrique VI (r. 1422–61), y posteriormente pasó a la colección real. Dos nuevas bandas se insertaron en el pie de la copa. La primera, decorada con rosas tudor de esmalte, data de la época de Enrique VIII (r. 1509–47). La segunda lleva una inscripción relativa al tratado de paz entre Inglaterra y España de 1604.

De París (Francia), hacia 1370–80 d. C.
Altura 23,6 cm (con tapa)

Copa de oro de Ringlemere

ESTE OBJETO APLASTADO es una copa de oro excepcional con más de 3.500 años de antigüedad. Se encontró en Ringlemere, East Kent (Inglaterra), en 2001, dañada por los arreos de labranza modernos. Excavaciones posteriores sacaron a la luz un cementerio de la Edad de Bronce en las proximidades. Es posible que esta copa se hubiera usado durante un ritual funerario.

Sólo se tiene noticia de otras cinco copas de oro parecidas en Europa continental, repartidas entre Bretaña, el noroeste de Alemania y el norte de Suiza. Estas vasijas de oro primitivas, fechadas hacia 1700–1500 a. C., tenían bases redondas, y todas menos una llevan un asa unida hábilmente con remaches a sus cuerpos en forma de "S".

La copa Ringlemere da testimonio de la pericia de los orfebres del último periodo de la Edad de Bronce Antigua. El cuerpo, de bellísima factura y una sola hoja de metal, posee ondulaciones horizontales, una característica que la asemeja a la copa de oro Rillaton, encontrada en Bodmin Moor, Cornualles (Inglaterra), a principios del siglo XIX.

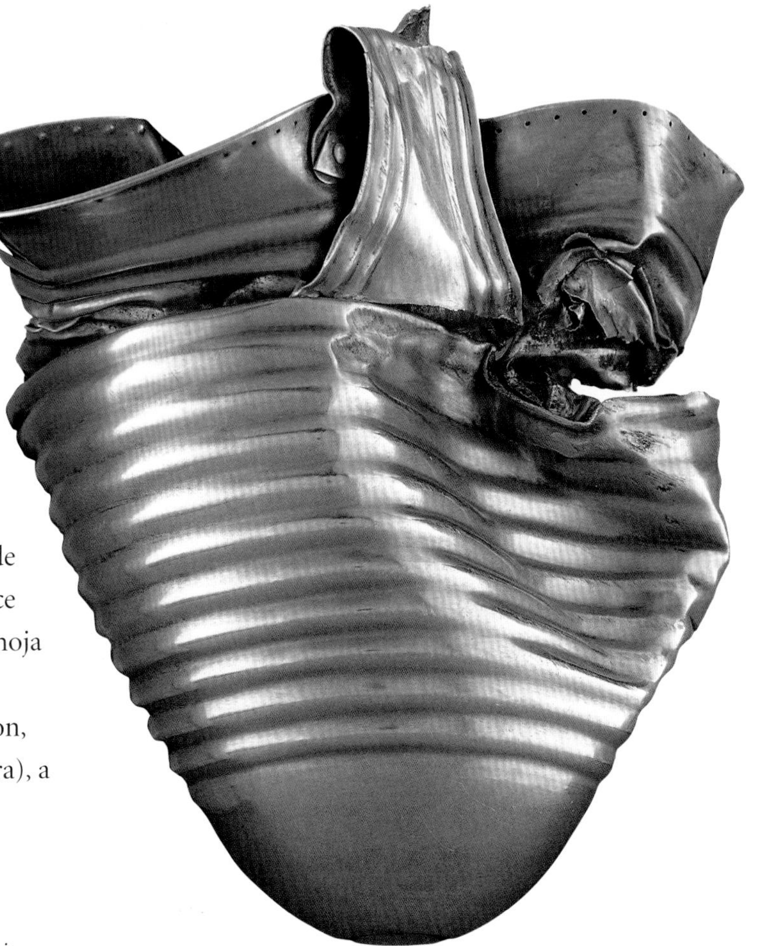

De Ringlemere, Kent (Inglaterra), hacia 1700–1500 a. C.
Altura 14 cm, Peso 184 g
Adquirida bajo la Ley de Tesoros, Adquirida con la ayuda de Heritage Lottery Fund, Art Fund y los Amigos del Museo Británico

Gui de bronce

Esta imponente vasija de bronce es un *gui*, un recipiente ritual chino para ofrendas de alimentos, usado en los periodos Shang y Zhou. La inscripción que figura en el interior del *gui* explica que el hermano del rey Wu, Kang Hou (duque de Kang), y Mei Situ recibieron territorios en Wei (en la provincia de Henan) en agradecimiento por su contribución al estado Zhou. Es posible fechar la inscripción porque se refiere a la rebelión Shang y su derrota a manos de los Zhou.

Durante el periodo Shang (hacia 1500–1050 a. C.) se moldeaban vasijas de bronce con inscripciones para conmemorar acontecimientos concretos. Los textos, grabados en el molde, servían para informar de las gestas políticas o sociales de sus propietarios. En 1050 a. C., el rey Wu se impuso a la dinastía Shang y fundó la dinastía Zhou. Las vasijas de bronce inscritas fueron más corrientes durante este nuevo periodo. Actualmente, se han convertido en documentos históricos de vital importancia.

De China, siglo XI a. C.
Altura 21,6 cm

Tesoro de Water Newton

El tesoro consta de nueve vasijas de plata, varias placas votivas de plata y un disco de oro. Las vasijas, que posiblemente se utilizaban en el culto cristiano, son las más antiguas en su género procedentes del Imperio Romano jamás encontradas. La forma de la copa con asas recuerda los cálices cristianos de épocas posteriores, y muchos objetos llevan el crismón, un símbolo que solían usar los primeros cristianos. Dos cuencos y una placa tienen inscripciones en latín, una de las cuales se puede traducir como: "Yo, Publiano, honro tu altar sagrado y deposito toda mi fe en ti, oh señor". Otras inscripciones contienen los nombres de mujeres de la congregación: Amcilla, Innocentia y Viventia.

Los objetos del tesoro se elaboraron probablemente en épocas y lugares diferentes, y resulta imposible fijar exactamente la fecha en la que se escondieron. Puede que el tesoro se enterrara como consecuencia de una persecución concreta de los cristianos o por una inestabilidad política más general.

De Water Newton, Cambridgeshire (Inglaterra) siglo IV d. C.
Altura 12,5 cm (copa)
Tesoro oculto

Vajilla Armada

Se trata del juego más antiguo que se conoce de una vajilla inglesa. Consta de 26 platos parcialmente dorados, cada uno grabado en el borde con el escudo de sir Christopher Harris de Radford, Devon (hacia 1553–1625) y su esposa, Mary Sydenham. El juego sobreviviente es muy importante y único; los objetos funcionales de oro y plata en aquella época solían fundirse por su valor monetario o reconvertirse en piezas más nuevas y modernas.

Se conoce como "vajilla Armada" porque se decía que se fabricó de plata del Nuevo Mundo aprehendida en barcos españoles. No existen pruebas que demuestren esta teoría, aunque sir Christopher Harris trabajó para sir Walter Raleigh en Devon y en Cornualles como oficial del Almirantazgo durante la guerra anglo-española (1585–1604). En 1592, Harris protegió por orden de Raleigh el botín de un barco español, un incidente que podría haber originado la tradición de la "Armada".

De Londres (Inglaterra) 1581–1601 d. C.
Diámetro 12,1 cm (mín.)
Adquirido con ayuda de National Heritage Memorial Fund

"Jarrón de la luna" de porcelana blanca

ESTE GRAN JARRÓN de porcelana se elaboró en Corea durante la dinastía Choson (1392–1910 d. C.). La porcelana blanca sin adornos de este periodo constituye el máximo exponente del austero gusto confuciano.

El ceramista británico Bernard Leach (1887–1979) compró el jarrón en Seúl. Leach formó parte del movimiento japonés *mingei* (artesanía popular) a principios del siglo XX. El grupo admiraba especialmente la porcelana blanca del periodo Choson por su falta de afectación y por la belleza de sus ligeras imperfecciones. Este jarrón, un ejemplo exquisito de dichas vasijas, muestra las imperfecciones de la arcilla y del vidriado, así como en el saliente alrededor del centro que marca la unión entre la mitad superior e inferior del cuerpo.

Leach regaló el jarrón a otra ceramista, Lucie Rie (1902–95). En una famosa fotografía que le hizo lord Snowdon aparece Rie vestida de blanco y sentada junto a la vasija.

De Corea, dinastía Choson, siglos XVII–XVIII d. C.
Altura 47 cm
Adquirido con la ayuda del Fondo de Adquisiciones de Arte Coreano Hahn Kwang-Ho

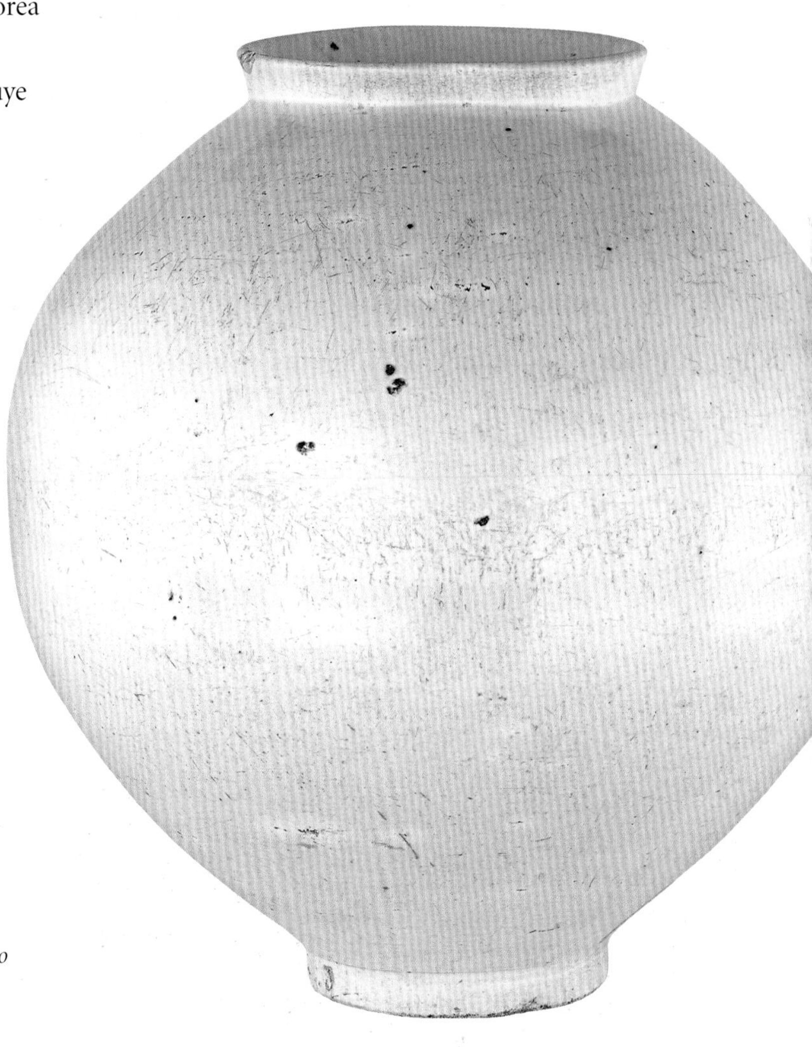

Copa lacada con grabados

En china se han excavado sofisticadas vasijas lacadas que datan del periodo Shang (hacia 1500–1050 a. C.). También se produjeron grandes cantidades de lacados de gran calidad en el periodo de los Reinos Combatientes (475–221 a. C.). En la dinastía Han (206 a. C.–220 d. C.), la industria del lacado ya estaba organizada bajo control gubernamental y usaba procesos primitivos de producción masiva.

Esta copa es producto de esa industria. Lleva una inscripción que comunica que se elaboró para el emperador en el año 4 d. C., en el taller de la Fábrica Occidental de Shu (actual provincia de Sichuan). A continuación enumera los nombres de los artesanos responsables de cada paso del proceso de producción: fabricación de la base de madera, lacado, capa de lacado superior, dorado de las asas, decorado y pulido final. También proporciona los nombres de inspectores, supervisores y encargados del taller. Como el lacado requiere muchas capas y, entre ellas, tiempo para que cada una se asiente, la especialización y la producción en cadena se adaptaban perfectamente a esta manufactura.

Hecha en China, dinastía Han Oriental, fechado en 4 d. C., encontrada en Corea
Diámetro 17,7 cm
Obsequio de P.T. Brooke Sewell

Copa de Licurgo

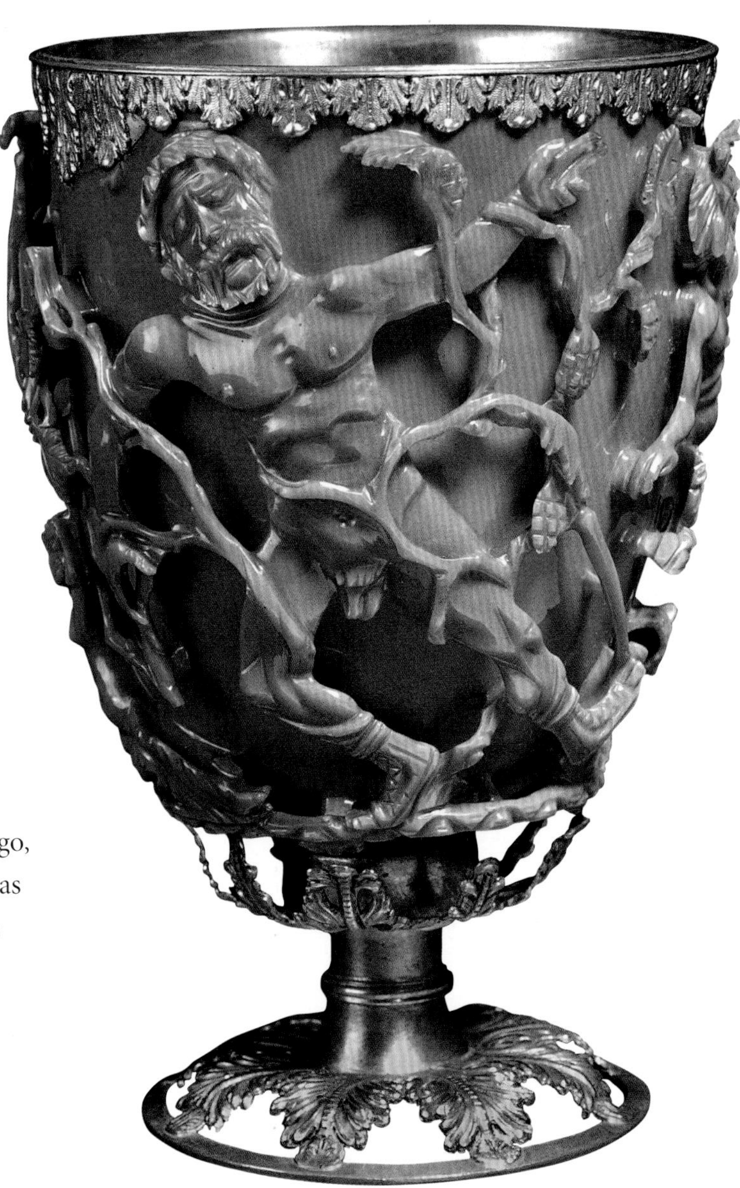

ESTA EXTRAORDINARIA COPA es el único ejemplar completo que nos ha llegado de los elaborados en vidrio dicroico, que cambia de color según la luz. Cuando la luz se trasmite a través de la copa, el cuerpo cambia de un verde opaco a un rojo encendido y traslúcido. El vidrio contiene diminutas cantidades de oro y plata coloidales, que le otorgan propiedades ópticas inusitadas.

La copa es además el único ejemplo figurativo de un tipo de recipiente conocido como "copa jaula". En primer lugar se soplaba o moldeaba una espesa capa de vidrio y, a continuación, se cortaba y se pulía hasta que las figuras quedaban en alto relieve. Partes de las figuras se hallan casi sueltas, unidas tan sólo por "puentes" a la superficie de la vasija.

El relieve representa un episodio del mito de Licurgo, rey de Tracia, quien atacó al dios Dioniso y a una de las bacantes. Como castigo, quedó atrapado en las ramas de una vid.

Probablemente hecha en Roma, siglo IV d. C.
Altura 16,50 cm (con modernos soportes y engarces de metal)
Diámetro 13,20 cm
Adquirida con la ayuda de Art Fund

Aguamanil Blacas

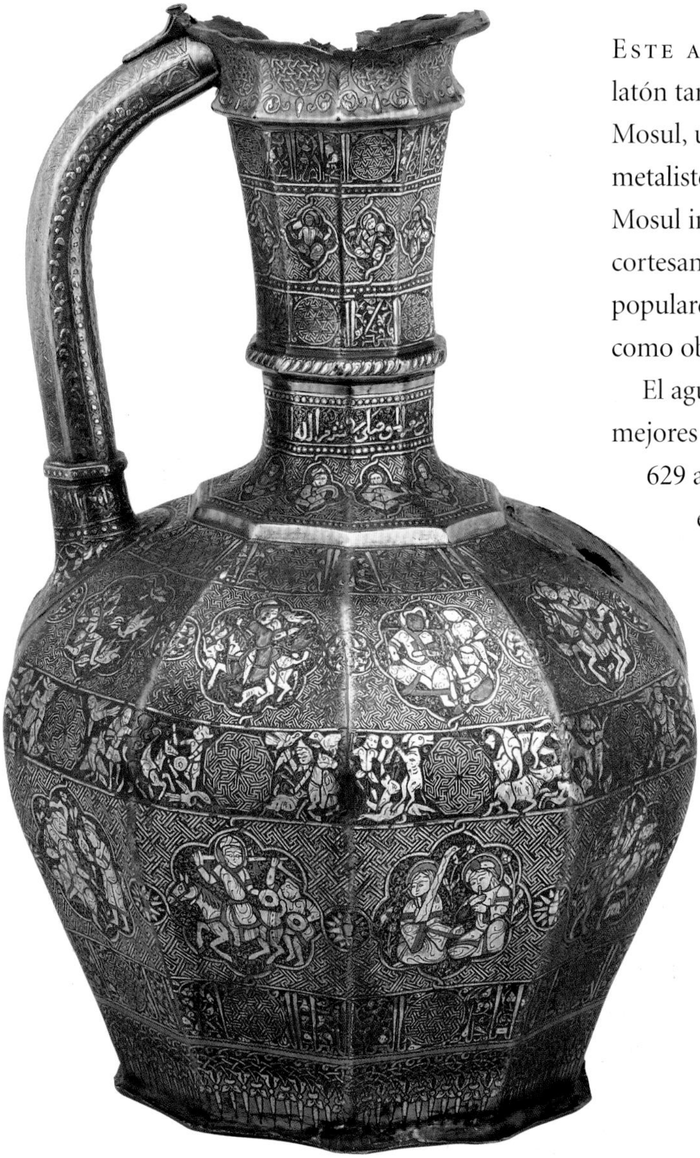

Este aguamanil ejemplifica la maestría de las obras de latón taraceadas del mundo islámico medieval. Se produjo en Mosul, una ciudad famosa a partir del siglo XII por su metalistería con incrustaciones. Los artesanos del metal de Mosul incrustaban en las vasijas de latón intrincadas escenas cortesanas en plata y cobre, para crear objetos fastuosos, muy populares entre la élite. Se solían regalar a los soberanos vecinos como obsequios diplomáticos.

El aguamanil lleva la firma de Shujac ibn Manca, uno de los mejores incrustadores de Mosul, y la fecha del mes de rajab de 629 a. h. (abril de 1232). Su decoración, de calidad excepcional, incluye medallones que representan escenas de la vida cortesana. Entre ellas figuran un jinete cazando con un guepardo a la grupa del caballo, una dama que elige joyas del cofre que le ofrece una sirvienta, mientras se admira en el espejo, y una señora rica sobre una litera de camello junto a dos sirvientes.

De Mosul, norte de Irak, 629 a. h./1232 d. C.
Altura 30,4 cm
Originalmente en la colección del duque de Blacas

Jarra y cuenco de vino *qingbai*

LAS LOZAS *qingbai* (azul blanquecino) y *yingqing* (sombreado en azul) toman el nombre del tono azul de su vidriado, producido en Jingdezhen (sureste de China), desde el siglo X. Buena parte de la producción más temprana, por su forma y decoración, imitaba la loza blanca del norte, especialmente la *ding* de la provincia de Hebei. Un procedimiento de cocción distinto resultó en tonos de color muy diferentes.

Las lozas *qingbai* son famosas por la pureza y el aspecto azucarado de la porcelana. Otro rasgo importante es la forma en la que se distribuye el vidriado para dar gran relieve a las incisiones, como se puede observar en esta jarra de vino con su cuenco, de delicado color e intrincadas tallas.

Otros dos juegos de jarra y cuenco muy similares aparecen en las pinturas *Las festividades nocturnas de Han Xizai*, del periodo Song tardío, que se puede admirar en el Museo del Palacio de Pekín. Se trata de una copia de un original del siglo X, actualmente perdido, de Gu Hongzhong, una de las pinturas más famosas de la historia del arte chino.

Del sur de China, dinastía Song (siglos XI–XII d. C.)
Altura 25,5 cm

Ánfora de Elgin

ESTA ESPLÉNDIDA ÁNFORA con asas en el cuello data del periodo geométrico de Grecia (900–700 a. C.) y se ha restaurado a partir de los fragmentos excavados en Atenas en 1804–06. Se usó probablemente para contener vino en el banquete fúnebre de una persona rica y posteriormente se colocó en su tumba, quizás junto con otras vasijas más pequeñas y un *dinos* (caldero) de bronce que contenía las cenizas del difunto.

El ánfora está decorada con una pintura geométrica de gran técnica y precisión. Se puede atribuir a un artista conocido como "el maestro de Dipilón", nombre de las antiguas puertas de Atenas situadas al lado del cementerio donde se hallaron muchas de sus obras. Su taller se especializó en la producción de grandes vasijas, especialmente funerarias. Una de sus innovaciones fue la ampliación de la red de complejos adornos geométricos hasta cubrir toda la superficie de la pieza.

De Atenas (Grecia), hacia 750 a. C.
Altura 67 cm
Adquirida con la ayuda de Amigos del Museo Británico, Art Fund, Caryatid Fund, Alexander Talbot Rice y la Sociedad de Dilettanti

Hielera Marlborough

LAS HIELERAS, pensadas para enfriar una botella de vino, se crearon para que se colocaran en la mesa durante una comida. Se pusieron de moda en la corte francesa a partir de la década de 1680, y las usaron la nobleza y la aristocracia en toda Europa.

Esta hielera es uno de los escasos ejemplares ingleses hechos de oro puro que existen en la actualidad. Sus asas, grandes y macizas, con máscaras de león y anillas, muestran la influencia de los orfebres hugonotes. Estos artesanos eran protestantes franceses que, después de 1685, emigraron a Gran Bretaña para huir de la persecución religiosa, y llevaron consigo nuevos diseños y conocimientos técnicos. Junto con su decoración agallonada en espirales, tradicional en Inglaterra a finales del siglo XVII, el estilo permite datarla en Londres hacia el año 1700.

Sarah, I duquesa de Marlborough (1660–1744), legó dos hieleras a su nieto el honorable John Spencer (1708–1746). Pertenecieron a la familia Spencer de Althorp, Northamptonshire, hasta que las adquirió el Museo en 1981.

De Londres (Inglaterra) hacia 1700 d. C.
Altura 26,7 cm
Peso 5,750 kg
Adquirida con la ayuda de la Venerable Asociación de Joyeros, Art Fund, National Heritage Memorial Fund, Pilgrim Trust y fondos donados por la Sra. Katherine Goodhart Kitchingman.

Plato lacado

ESTE PLATO es uno de los ejemplos más antiguos conocidos de lacado polícromo y tallado con una escena pictórica. En la época de esta manufactura ya se había perfeccionado el arte de las tallas con escenas, y las piezas tan bellas como ésta se solían crear por encargo imperial.

La escena muestra un famoso festival de poesía y bebida del siglo IV, en el *lanting* (Pabellón de las orquídeas) de la provincia china de Zhejiang. La fiesta aparece en innumerables pinturas y poemas chinos. En esta representación, el cielo está cubierto de nubes y grullas, aves que simbolizan la inmortalidad. El grupo en primer plano llega acompañado de ciervos, también asociados a la inmortalidad, y la Isla de los Inmortales surge de las olas, alrededor del borde del plato. El tallador ha grabado su nombre y la fecha en la puerta del pabellón. En el reverso figura un verso de Wang Bo (650–675), poeta de la dinastía Tang.

Posiblemente de la provincia de Gansu, China occidental, dinastía Ming, fechado en 1489 d. C.
Diámetro 19 cm

Cofre de las musas del tesoro del Esquilino

Este cofre de plata, abovedado, conocido como el cofre de las musas, forma parte del tesoro del Esquilino, una colección de objetos de plata romanos descubierta en 1793 a los pies de la colina del Esquilino, en Roma.

El cofre no se destinaba a contener comida ni bebida, sino artículos de aseo. Se diseñó con cadenas para que colgara de ellas y, en su interior, lleva cinco botellitas de plata para perfumes y ungüentos. Las representaciones en mosaicos y murales romanos sugieren que los cofres de este tipo se producían concretamente para usarlos en los baños. En los paneles que rodean el cuerpo festoneado del casquete aparecen las figuras repujadas de ocho de las nueve musas, distinguibles por su ropa y atributos individuales. La figura sentada en lo alto de la tapa no posee ningún atributo y, por lo tanto, no es la novena musa, sino una mujer real, a quien el propietario equipara a las musas.

De Roma, siglo IV d. C.
Altura 26,7 cm
Diámetro 32,7 cm

Gancho de bronce para carne

Este gancho de bronce para carne, posiblemente usado para sacar trozos de carne de un caldero, se encontró en una ciénaga en Dunaverney (Irlanda), en 1829. Una reciente datación por radiocarbono lo ha fechado entre 1050 y 900 a. C., en la Edad de Bronce tardía, una época de obras en broce de una técnica soberbia.

Al parecer, estos ganchos eran utensilios básicos para cocinar y servir porciones de carne. La mayoría se produjeron con una gran maestría. Este instrumento resulta especialmente excepcional por los dos grupos de aves montados en varillas rotatorias que rodean su asta. Ningún otro artefacto de la Edad de Bronce de Irlanda o Gran Bretaña posee formas animales. Este tipo de objetos sobresalen por encima del resto por la gran técnica que requieren y por sus toques de individualidad. Seguramente se asociaban a figuras de autoridad y ocasiones muy concretas, como banquetes comunitarios y, por lo tanto, servirían también como símbolos de la comunidad entera.

De Dunaverney, Antrim (Irlanda del Norte), 1050–900 a. C.
Longitud 56,3 cm

Gran plato del tesoro de Mildenhall

El tesoro de Mildenhall destaca como una de las colecciones de menaje de plata del último periodo romano más importantes de todo el imperio. Aunque no se hallaron monedas que permitieran fecharlo de forma fidedigna, su estilo y su decoración son típicos del siglo IV d. C. La calidad artística y técnica de estos objetos es sobresaliente, y probablemente pertenecieron a una persona de gran prestigio y riqueza.

Esta gran fuente, llamada el "Gran plato" o "Plato de Neptuno" o de "Océano", es la pieza más famosa del tesoro. Su decoración en bajorrelieves y línea grabada alude al mito y al ritual de Baco. El rostro del centro representa a Océano, la personificación de los mares. En el ancho friso exterior, Baco preside las celebraciones de música, danza y bebida en su honor. Entre los participantes se encuentra el héroe Hércules, vencido por el consumo de vino, Pan, diversos sátiros y las bacantes, adoradoras de Baco.

Encontrado en Mildenhall, Suffolk (Inglaterra), siglo IV d. C.
Diámetro 60,5 cm
Peso 8.256 g
Tesoro escondido

10 La forma humana

EN EL MUSEO ABUNDAN las imágenes del cuerpo humano creadas en diversos lugares y épocas de la historia. Como demuestran los objetos de las páginas siguientes, las representaciones del cuerpo humano y su forma ideal suelen diferir de una cultura a otra e incluso dentro de una misma cultura. El famoso Adán de Miguel Ángel, en la Creación pintada en el techo de la Capilla Sixtina (Vaticano), está considerado el ideal del cuerpo masculino en el arte occidental. Este capítulo contiene uno de los bocetos que el artista elaboró para dicho techo. Esta imagen de Adán, que a tantos artistas ha inspirado desde su creación hace 500 años, contrasta vivamente con otra manera de ver la forma humana, la representada en los ídolos de los ojos, tallados en Oriente Medio unos 3.000 años antes.

La forma humana idealizada constituye en elemento común en muchas de las imágenes de humanos o de dioses antropomórficos que aparecen en este libro. El Apolo de Strangford, por ejemplo, encarna el ideal del cuerpo humano perfecto en la cultura griega de hacia el año 500 a. C., con su énfasis en la simetría, belleza y elasticidad atlética. Resulta esclarecedor compararlo y contrastarlo con otra representación de perfección clásica, creada pocas décadas después: el famoso Discóbolo. La comparación revela la velocidad a la que cambia el concepto de la forma humana perfecta, y vuelve a demostrar que un ideal único de perfección anatómica, como el Adán de Miguel Ángel, puede convertirse en fuente de inspiración inagotable durante siglos.

Discóbolo, el lanzador de disco

Seguramente, el Discóbolo es la escultura de un atleta más famosa que se haya creado jamás. Un escultor romano copió esta idealización de la perfección anatómica y atlética de un bronce griego original muy anterior, y aportó a la figura de mármol las características que conocemos actualmente. La imagen sigue reproduciéndose sin cesar en libros, carteles, sellos, películas y otros soportes, en el mundo entero.

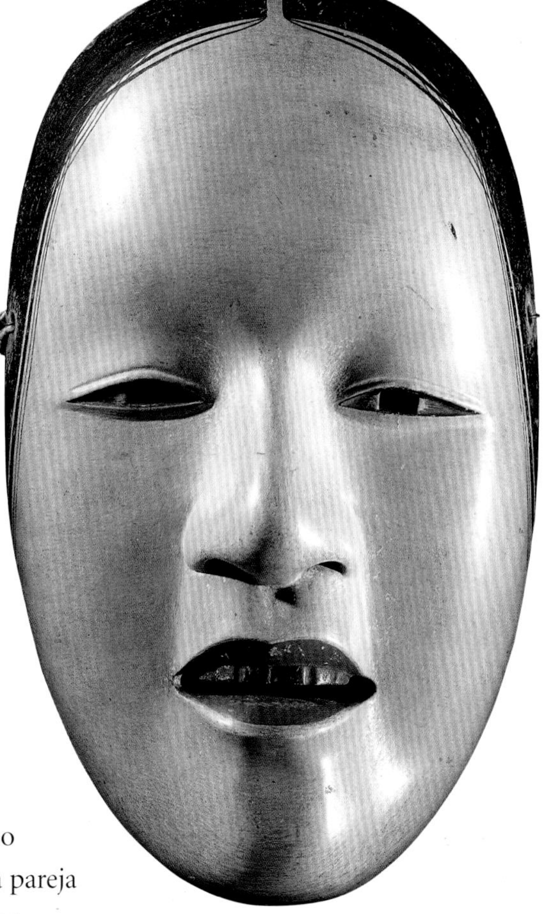

Máscara Nō

Las imágenes humanas incluidas en este capítulo y en el resto del libro se crearon con finalidades muy diferentes, aunque ahora nos cueste entender la función exacta de algunas de ellas. El dibujo de Miguel Ángel es un boceto para una pintura que ilustraba el acto de la creación, mientras que los ídolos de los ojos podrían haber servido de ofrenda o petición a una deidad. Muchas de las imágenes surgieron como retratos, recordatorios de una persona en particular. En este capítulo encontramos ejemplos de ello, como el rostro del sarcófago romano de una momia de Egipto, el retrato de la mujer de Rubens y la representación de un erudito coreano. Sin embargo, la mayoría de los retratos que figuran en este libro son representaciones idealizadas, incluso algunos que parecen realistas, como la escultura de caliza de una pareja egipcia de la XVIII dinastía. Las efigies creadas para monumentos funerarios también pueden plasmar el aspecto del fallecido en cierto momento de su vida. De igual manera, como se ha visto en un capítulo anterior, los retratos de los gobernantes raramente pretenden ser auténticos en el sentido moderno, sino que más bien plasman a un individuo con el aspecto que debe tener un soberano.

Por lo tanto, muchas imágenes humanas, desde máscaras y estatuas hasta dibujos y representaciones en objetos, buscan ilustrar la esencia del sujeto, a veces mediante sus características específicas, pero frecuentemente enfatizando los rasgos que la persona debe poseer para que se le reconozca como rey, sacerdote o personaje en una obra dramática o en un ritual.

“Ídolo de los ojos” de alabastro

Cientos de estas miniaturas con ojos prominentes se excavaron en las ruinas de una edificación monumental, conocida como Templo de los Ojos, en Tell Brak (Siria). Tell Brak es el nombre moderno de un inmenso asentamiento mesopotámico que empezó ya en 6000 a. C., y se convirtió en una de las ciudades más importantes de la región a finales de la prehistoria. Ocupaba una posición estratégica en una ruta principal que llevaba desde el valle del Tigris a las minas de Anatolia, el Éufrates y el Mediterráneo.

Puede que las figuritas “ídolos de los ojos” representen a adoradores y, por lo tanto, se colocaran como ofrendas en edificios religiosos. Se agrupan en varios tipos: pares de ojos únicos; tres, cuatro o seis ojos; figurita “de niño con ojos” tallada en la parte delantera (como en este ejemplo); y ojos horadados. Se han encontrado ejemplares de tallas con ojos horadados en diversos yacimientos de este periodo en el norte de Mesopotamia.

Mesopotámica, excavada en Tell Brak, noreste de Siria, hacia 3500–3300 a. C.
Altura 3,5 cm

Miguel Ángel Buonarotti (1475–1564): *Boceto de Adán*

MIGUEL ÁNGEL dibujó este bello boceto de un hombre desnudo cuando estudiaba la figura de Adán que pintaría en el techo de la Capilla Sixtina del Vaticano. En la parte inferior izquierda aparece un bosquejo de la mano derecha.

Miguel Ángel aprovechó las cualidades de la tiza roja para crear un tono cálido en el retrato del modelo que posaba para él. Se concentró en el torso y en la parte superior de las piernas, y destacó la anatomía ideal del modelo con sombreados, especialmente en el pecho y en el estómago. La figura se asemeja tanto a una escultura como a una pintura, no en vano Miguel Ángel se consideraba sobre todo escultor.

Miguel Ángel pasó de 1508 a 1512 decorando el techo de la Capilla Sixtina y pintó la figura de Adán hacia 1511. La pose que aparece en el fresco es casi exacta a la de este boceto. El artista usó posiblemente un cartón a todo tamaño (estudio preliminar) para transferir al techo el dibujo definitivo.

De Italia, hacia 1510–11 d. C.
Altura 19,3 cm
Obsequio de Art Fund, con aportaciones de sir Joseph Duveen y Henry van den Bergh.

Pedro Pablo Rubens (1577–1640): *Isabella Brant*

ESTE FAMOSO DIBUJO es el retrato de la primera esposa de Rubens, Isabella Brant (1591–1626). Rubens usó tiza roja en el rostro y en las orejas para resaltar la cálida textura del cutis de Isabella. Los sutiles toques de tiza roja y negra sombrean la cara. Largos y sinuosos trazos de tiza negra definen el pelo, que enmarca hacia atrás la cabeza y cae ligeramente a los lados del rostro. Reflejos blancos iluminan la frente, la nariz y el cuello.

Tanto el tamaño del dibujo como la mirada de la modelo atraen al observador. Tiene una sonrisa cálida, la cabeza está terminada con esmero y los rasgos faciales, exquisitamente logrados y plasmados. La atractiva personalidad de la mujer salta del retrato. Su matrimonio con Rubens fue próspero, y tanto su esposo como su familia lloraron enormemente su muerte en 1626.

De los Países Bajos, hacia 1621 d. C.
Altura 38,1 cm

Cabeza de esteatita

LAS TALLAS DE ESTEATITA son muy escasas en el África subsahariana, confinadas a una pequeña zona que abarca partes de los modernos estados de Guinea, Sierra Leona y Liberia. La mayoría de las esculturas tienen forma humana y algunas son únicamente cabezas. Los mende de Sierra Leona, que las encuentran cuando preparan los campos, creen que pertenecen a antiguos propietarios de las tierras y les dedican ofrendas para aumentar las cosechas.

Las piezas del pueblo kissi, como ésta, poseen un estilo diferente. Los kissi las adoraban como representaciones de sus antepasados. Las esculturas son probablemente obra de los ancestros del pueblo kissi, que habitaron las tierras actualmente ocupadas por los mende. Resulta muy difícil datar estos objetos con certeza o saber con qué finalidad se tallaron. No obstante, es posible que tengan al menos varios cientos de años de antigüedad.

Kissi, de Sierra Leona, posiblemente del siglo XVII o XVIII d. C.
Altura 24 cm
Obsequio de la Sra. E. W. Fuller en memoria del capitán A.W.F. Fuller
Art Fund

Figurita de mujer en mármol

El aislamiento de las islas Cícladas en el mar Egeo favoreció que la cultura cicládica desarrollara tradiciones inalteradas a lo largo de los siglos. Un ejemplo lo ofrecen las características figuritas cicládicas de mármol, talladas durante cientos de años.

Se ignoran las razones por las que se produjeron las figuritas o a quién representaban. Conforman el tipo más habitual las figuras de "brazos cruzados", como la de este ejemplar excepcionalmente grande. La forma de estas tallas, que originalmente llevaban pintados los rasgos faciales y otros detalles, se reduce a unos cuantos elementos básicos. De esta figurita sorprende la supervivencia de sus detalles. Se pueden distinguir los ojos almendrados, un collar y dos hileras de puntos alrededor de la frente, que quizás representen una diadema. También se aprecian unos puntos en la mejilla derecha, lo que, unido a los restos de pintura, indica que originalmente tenía el rostro recubierto de colores muy vivos, incluso estridentes.

De las Cícladas, mar Egeo, Edad de Bronce Temprana, hacia 2700–2500 a. C.
Altura 76,5 cm

Máscara *nō* de una joven

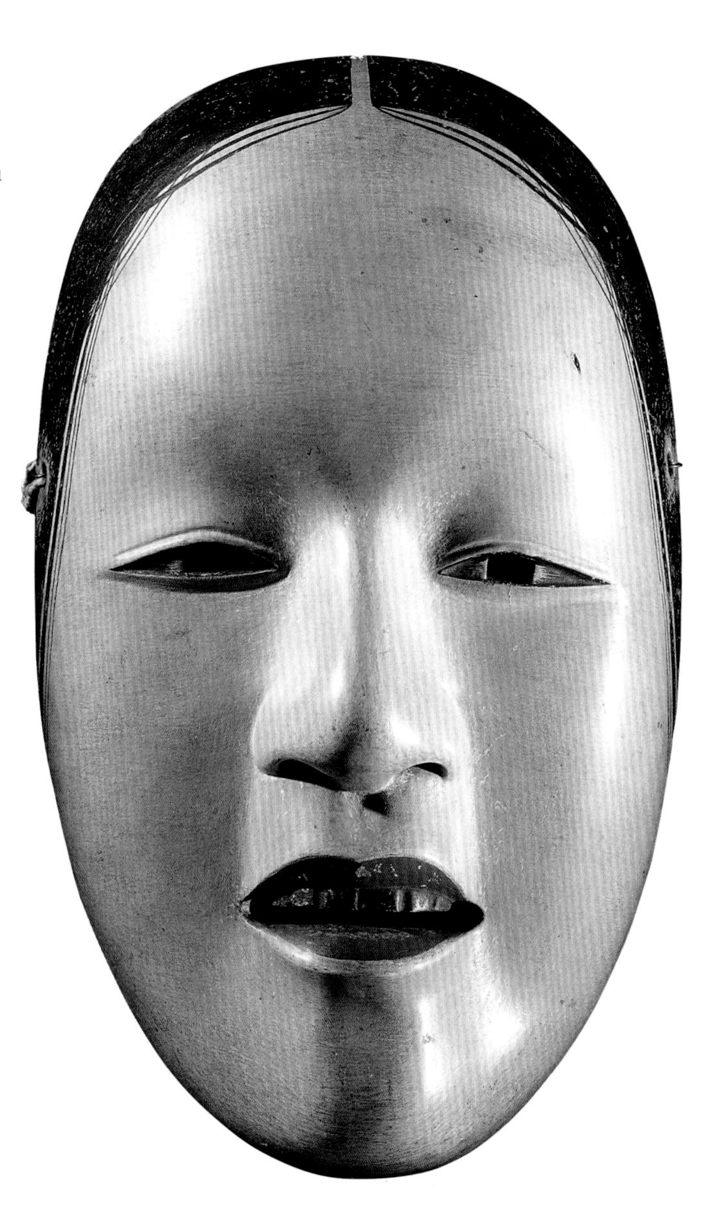

El *nō* es una obra japonesa de música y danza con máscaras. Floreció en los siglos XIV y XV y quedó bajo el patronazgo del shogunato Ashikaga (1333–1568) cuando Ashikaga Yoshimitsu vio una representación en Kioto en 1374. Su desarrollo recibió gran influencia del budismo Zen. Posteriormente se ratificó como entretenimiento oficial bajo los shogunes Tokugawa (1600–1868).

En las diferentes obras se usaba un grupo fijo de máscaras. Una máscara hábilmente tallada parecía adquirir cambios de expresión sutiles según girara la cabeza su portador y dependiendo del ángulo que adoptara. Ésta es una de las diversas variaciones de la máscara de una joven, basada en el diseño original de Zeami Motokiyo, el famoso actor *nō* del siglo XIV. Las cejas falsas pintadas en lo alto de la frente y los dientes ennegrecidos fueron estilos cosméticos en boga durante más de mil años hasta el siglo XIX.

De Japón, siglos XVIII–XIX d. C.
Altura 21,2 cm

Estatua de un ciudadano jubilado

LAS RETRATOS en forma de escultura cobraron gran importancia como expresión artística en Japón durante el periodo Kamakura (1185–1333). Los retratados solían ser aristócratas, militares y monjes, y las esculturas se creaban para su veneración por parte de las generaciones futuras en templos, palacios o mansiones. El retrato en escultura se hizo muy popular, sobre todo durante el periodo Edo (1600–1868). En una sociedad más estable, también encargaban estos retratos los samuráis, los artesanos y los prósperos mercaderes. Como se conservaban en un diminuto altar en los hogares, tiendas o talleres, solían ser pequeños.

Esta estatua en madera lacada representa a un hombre de edad madura, que viste los ropajes de un mercader, aunque lleva la cabeza rapada al estilo de los monjes budistas. En Japón era bastante habitual que los ciudadanos prósperos se convirtieran en mojes laicos y a la vez llevaran vidas seglares.

De Japón, periodo Edo, finales del siglo XVII–principios del XVIII d. C.
Altura 42,5 cm
Obsequio de sir A.W. Franks

Yi Che-gwan (1783–1837) (atribuido): *Retrato de un erudito confuciano*

LAS TÉCNICAS PICTÓRICAS occidentales se introdujeron en Corea en el siglo XVIII a través de los misioneros jesuitas en China. Su influencia es evidente en esta pintura de un erudito confuciano, tocado con el gorro tradicional de pelo de caballo (*t'anggon*), sobre todo en los detalles del rostro como las arrugas, y en el uso de diminutos trazos repetidos (sombreado) para acentuar las sombras.

Los retratos coreanos anteriores trataban de captar el "espíritu" del modelo, en lugar de representar fielmente sus atributos físicos. Sin embargo, con la prosperidad del siglo XVIII, llegó esta moda a los retratos y a las pinturas *chin'gyong* (vista real) que plasmaban escenas reales del paisaje coreano.

El Museo Nacional de Corea posee un cuadro muy similar del mismo hombre, también pintado por Yi Che-gwan. Este retrato se antoja el más tardío de los dos, pues el modelo aparece más envejecido.

De Corea, dinastía Choson tardía, finales del siglo XVIII–principios del XIX d. C.
Altura 60 cm

Henry Moore (1898–1986): *Siete figuras sentadas ante edificios en ruinas*

DURANTE LOS BOMBARDEOS de la II Guerra Mundial (1939–45), muchos londinenses buscaron refugio en el metro, e incluso pasaban la noche en él. El artista Henry Moore lo presenció y empezó una serie de bocetos sobre las escenas de estaciones y andenes. Moore comentó: "Las escenas del mundo de los refugios, figuras estáticas durmiendo, figuras reclinadas, no me abandonaban, me sentía atraído hacia ellas. No pude evitar plasmarlas".

Moore nunca dibujó en los refugios, pues le parecía de mal gusto. Tan sólo se paseaba por los andenes y entre los grupos de refugiados, donde solía pasar la noche, y tomaba notas discretamente para recordar bien las escenas. Después, ya en su estudio, efectuaba bocetos a plumilla y tinta, lápices de colores y acuarelas, en libretas baratas. Ésta es una hoja del *Primer libro de bocetos sobre los refugios*.

De Londres (Inglaterra), 1940–41 d. C.
Longitud 18,6cm
Altura 16,2 cm
Legado de Jane Clark (1977)

Estatua de caliza de un noble no identificado y su esposa

ESTA ESTATUA representa a una pareja sentada. No contiene ninguna inscripción, lo que podría indicar que está inacabada, por eso se ignoran los nombres de la pareja representada. No se sabe de dónde procede, aunque se han encontrado otras parecidas en Saqqara. El estilo de las figuras y sus elaboradas pelucas y ropas plisadas son características de la escultura de los últimos años de la XVIII dinastía, hacia el reinado de Amenofis III (1390–1352 a. C.), y los primeros de la XIX dinastía (a partir de 1295 a. C.).

Henry Moore (1898–1986), uno de los grandes artistas británicos del siglo XX, que frecuentaba el Museo Británico, comentó en cierta ocasión: “El noventa por ciento de lo que sé y he aprendido sobre escultura procede del Museo Británico”. Moore admiraba especialmente esta estatua, en la que se inspiró para su *Rey y reina* (1952–53), actualmente en la Tate Gallery de Londres.

De Egipto, dinastía XVIII o XIX, hacia 1300 a. C.
Altura 130 cm

Edgar Degas (1834–1917):
Bailarinas practicando en la barra

DEGAS EMPEZÓ en la década de 1870 a estudiar a las bailarinas, que se convirtieron en el tema principal de sus obras. Solía situarse tras bastidores y en las zonas públicas del edificio de la Ópera de París, donde se representaban los ballets. Raramente, sin embargo, dibujó sus bocetos allí. Prefería trabajar en su estudio con posados o de memoria. Aunque Degas tendía a plasmar escenas desde bambalinas o en los laterales del teatro, con sus bocetos, pasteles, pinturas y esculturas supo plasmar al detalle la sensualidad de las actuaciones y la realidad más sórdida de la vida entre bastidores de las bailarinas.

Degas era un dibujante magnífico. Experimentó con el medio y creó una técnica llamada *peintre à l'essence*, que usó en sus dibujos sobre papel verde. Se trata de un pigmento de color al que se le ha extraído el aceite y se ha diluido con trementina para que se seque deprisa.

De Francia, 1876–77 d. C.
Altura 47,2 cm
Legado de César Mange de Hauke

Tōshūsai Sharaku: *Los actores Nakamura Wadaemon y Nakamura Konozō*

DEL ARTISTA Tōshūsai Sharaku se conocen obras fechadas en un periodo de diez meses, entre 1794 y 1795. Poco se sabe de él antes o después de este tiempo, y su identidad es objeto de todo tipo de conjeturas entre los historiadores del arte japonés.

Sharaku tenía un talento especial para caracterizar a sus personajes mediante la diferenciación de los rasgos faciales. Este grabado en madera muestra una escena de la obra *Popurrí de historias de venganza* (*Katakiuchi noriai-banashi*), representada en el teatro Kiri en el quinto mes de 1794. El contraste entre los dos personajes es enorme. A la derecha se encuentra Wadaemon en el papel de Bodara no Chozaemon, un cliente de una casa de placer, con sus rasgos aguileños. Está suplicando a Kanagawaya Gon, el barquero gordinflón, que representa Konozō. Los ojos medio cerrados y la nariz respingona del barquero sugieren que se ha propuesto hacer un buen negocio.

De Japón, periodo Edo, 5º mes de 1794 d. C.
Altura 35 cm
Colección de sir Ernest Satow

El lanzador de disco (*Discóbolo*)

ESTA ESTATUA DE MÁRMOL es una copia romana de un original de bronce, ya perdida, atribuida al escultor griego Mirón (fl. 470–440 a. C.). Plasma el momento en el que el atleta está a punto de lanzar el disco e ilustra el ideal clásico del *rhythmós*, o armonía y equilibrio.

La estatua original era ya famosa en época romana, y ésta es una de sus diversas copias. Se restauró en Italia poco después de su descubrimiento en 1791 en la villa del emperador Adriano, pero con una cabeza diferente, colocada en un ángulo incorrecto. La popularidad de la escultura en la antigüedad se debía a que representaba el ideal atlético. El lanzamiento de disco era una de las cinco pruebas deportivas de las que constaba el pentatlón. Se admiraba a los pentatletas por su apariencia física: como no tenían ningún grupo de músculos desarrollado en exceso, sus proporciones se consideraban especialmente armoniosas.

De la villa de Adriano en Tivoli, Lazio (Italia), copia romana de un bronce original del siglo V a. C.
Altura 170 cm
Colección Townley

Estatua de diorita, probablemente de Gudea de Lagash

HACIA 2159 A.C. se desmoronó el estado acadio, en el sur de Mesopotamia, y la zona volvió a dividirse en ciudades estado bajo el gobierno de dirigentes locales. El más famoso fue Gudea, soberano de Lagash (en el Irak actual) hacia 2120–2100 a. C. Fue un constructor prolífico, y algunos de los primeros y más extensos textos literarios sumerios se escribieron durante su reinado. También importó piedra de Magan (quizás en el moderno Omán) y encargó numerosas estatuas de su persona para dedicarlas en sus templos.

Muchas de estas figuras se han hallado en Girsu, cerca de Lagash, y la mayoría de ellas se encuentran en el Louvre de París. Aunque esta estatua de un hombre sin barba, con las manos cruzadas, no lleva ninguna inscripción que identifique al modelo, probablemente representa a Gudea. Pese a su riqueza, el reinado de Gudea se circunscribió a su propia ciudad, que pronto quedó integrada en el nuevo imperio de Ur (llamado la III dinastía de Ur).

De Mesopotamia, hacia 2100 a. C.
Altura 73,6 cm

Estatua de mármol de un *tirthankara*

LA RELIGIÓN INDIA del jainismo surgió más o menos simultáneamente al budismo. Sus seguidores creían en 24 *tirthankaras*, un título que significa 'hacedores de vados', y se refiere a que estos individuos construían "vados" que facilitaban a sus seguidores pasar del sufrimiento y el dolor a la felicidad y el conocimiento perfecto. También se les llamó *jinas* ('conquistadores'), porque habían conquistado y controlado sus deseos y alcanzado la iluminación interior.

Esta figura se puede identificar como un *jina* por la marca *srivatsa* que lleva en l pecho. Sólo dos *jinas* se representan con características físicas distintivas: el primero, Rishabhanatha, que tiene el pelo largo y suelto; y el vigésimo tercero, Parshvanatha, con un dosel de serpientes sobre la cabeza. Otros *jinas* son identificables por símbolos o emblemas. Sin embargo, los artistas no siempre incluían estos signos y, como en este ejemplo, a veces resulta imposible saber qué *jina* en concreto se ha representado.

De la India occidental, 1150–1200 d. C.
Altura 68,5 cm
Obsequio en memoria de sir Alfred Lyall

Cabeza de bronce

ESTA CABEZA FORMABA parte de una estatua de cuerpo completo. Representa a un hombre de mediana edad, con una barba espesa, el pelo un tanto escaso y una expresión severa en el rostro, amplificada por profundas arrugas en la frente. Una cinta le ciñe la cabeza, lo que significa que es poeta. Durante un tiempo se creyó que representaba a Homero, pero se ha identificado ya como el "retrato" del dramaturgo ateniense Sófocles, elaborado mucho después de su muerte.

Durante el periodo helenístico (323–31 a. C.) cobraron popularidad estos retratos imaginarios que representaban figuras históricas del pasado y adornaban las bibliotecas de los reinos de la época. Sófocles vivió durante el siglo V a. C., pero la mayoría de los retratos suyos que poseemos son copias romanas o versiones de creaciones helenísticas. Los romanos continuaron con la práctica, aunque a menudo convirtieron los retratos a cuerpo entero en un busto o herma (cabeza sobre pilar), a veces con el nombre del personaje inscrito.

Adquirido en Constantinopla (actual Estambul) (Turquía), griego helenístico, siglo II a. C.
Altura 29,5 cm
Colección Arundel

Retrato en la momia de Artemidoro

ESTA MOMIA REFLEJA las tres grandes influencias de la cultura egipcia: las tradiciones faraónicas, Grecia y Roma.

El sarcófago de la momia está decorado con un collar de halcón, una serie de escenas funerarias tradicionales en Egipto y apliques de pan de oro. Una inscripción en griego sobre el pecho de la figura informa de la identidad del muerto: "Adiós, Artemidoro". Un panel con retrato, característico del arte romano, se ha insertado en la cabecera del sarcófago. Está pintado en encáustica, una mezcla de pigmento y cera de abeja con agentes endurecedores, como resina o huevo.

Los escáneres a la momia revelan daños en la cabeza sin ningún signo de curación. Aunque el daño pudo ser resultado del manejo durante la momificación, posiblemente esas lesiones le provocaron la muerte. Artemidoro tenía entre 18 y 21 años cuando murió, la misma edad que parece indicar su retrato.

De Hawara (Egipto), hacia 100–120 d. C.
Altura 171 cm
Obsequio de H. Martyn Kennard

Miniatura de bronce de una cabeza humana

SE TRATA DE UNA de las tres miniaturas de bronce de rostros masculinos que decoraban un balde de madera, quizás destinado a contener bebidas alcohólicas, encontrado en una incineración funeraria de la Edad de Hierro Tardía. El sepulcro debió de pertenecer a alguien muy importante y rico, incluso a un rey o a una reina. Contenía además dos jarras de bronce, una sartén de bronce, dos copas de plata y cinco ánforas de vino romanas, y muchas vasijas.

La cabeza, un singular retrato de un británico prehistórico, representa a un hombre maduro, con el pelo peinado hacia atrás y sin barba, pero con un bigote muy bien cuidado. Estas imágenes son muy poco frecuentes, dado que, durante aquella época, casi nunca se representaba a las personas en esculturas ni en la decoración de los objetos. El estilo artístico La Tène de la Edad de Hierro solía ser abstracto y muy raramente recurría a imágenes de personas, animales o plantas. Hacia el final de la Edad de Hierro, en ocasiones aparecen hombres en las monedas o, como aquí, en los adornos de baldes de madera.

De Welwyn, Hertfordshire (Inglaterra), Edad de Hierro, hacia 50–20 a. C. Longitud 4 cm
Obsequio de la Sra. A.G. Neall

Pablo Picasso (1881–1973): boceto preparatorio de *Las señoritas de Aviñón*

ESTE BOCETO de Picasso en *gouache* y acuarela formaba parte de los muchos estudios para su famoso cuadro *Las señoritas de Aviñón* (Museo de Arte Moderno de Nueva York). *Las señoritas de Aviñón* fue la obra más difícil y revolucionaria de la carrera de Picasso, hasta el punto de que desconcertó incluso a sus más acérrimos seguidores cuando se expuso por primera vez, en 1916.

La composición se concibió como la escena de un burdel, como indica el título más explícito del propio artista, *Le Bordel d'Avignon*, referido a una calle de Barcelona. En principio contenía tanto figuras masculinas como femeninas, pero en el cuadro que concluyó Picasso en verano de 1907 aparecían cinco mujeres. Este dibujo estudia la figura de la izquierda. El óvalo simplificado de la cabeza, especialmente en el boceto de la derecha de la hoja, refleja la influencia de la antigua escultura íbera, que Picasso llevaba contemplando en el Louvre desde la primavera de 1906.

Hacia 1906–07 d. C.
Altura 62,6 cm
Adquirido con la ayuda de Art Fund

Apolo Strangford

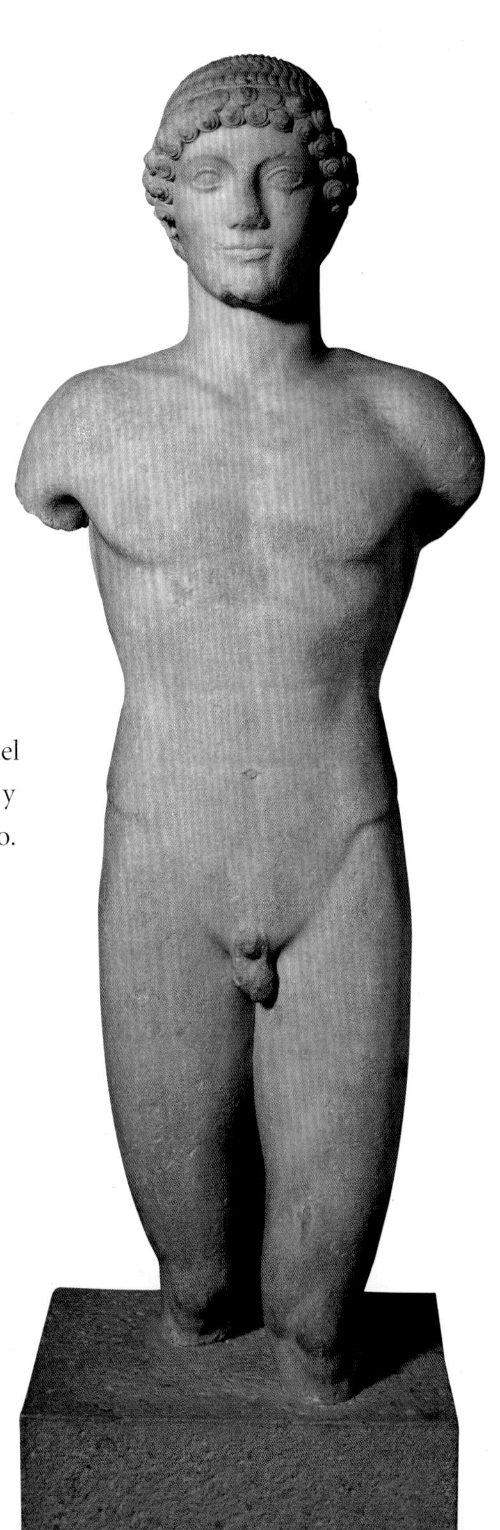

La estatua de mármol representa a un joven de pie, en la pose convencional de un *kurós*. Los *kouróí* son figuras masculinas de piedra que datan del periodo arcaico del arte griego (hacia 600–480 a. C.). La pose se basa en la simetría: el lado izquierdo y el derecho son imágenes especulares, y las piernas están colocadas de manera que repartan el peso corporal en igual medida entre la parte delantera y trasera.

Siempre llevan la boca fija en una sonrisa, quizás expresión simbólica de la *areté* (excelencia) del retratado. Se pensaba que todos los *kurói* representaban al dios Apolo, pero, aunque puede ser cierto en algunos casos, otros servían simplemente para señalar tumbas. El *kurós* no buscaba brindar un retrato realista del fallecido, sino una representación idealizada de la belleza juvenil y el cuerpo atlético; valores y virtudes que se le suponían al difunto.

Esta figura se conoce con el nombre de Apolo Strangford por su dueño anterior, el VI vizconde de Strangford.

Posiblemente de la isla de Anáfi, Cícladas, mar Egeo (Grecia), hacia 500–490 a. C.
Altura 101 cm
Colección Strangford

11 El poder de los objetos

Muñeca de trapo romana de Egipto

LAS PÁGINAS DE ESTE LIBRO contienen imágenes de 250 de los más de seis millones objetos, dibujos y grabados que conserva el Museo Británico. En esta selección se incluyen piezas que los visitantes conocen muy bien, como la Piedra de Rosetta, los sarcófagos de momias de Egipto y el yelmo de Sutton Hoo, el artefacto más emblemático de la historia temprana de Gran Bretaña. Pero también hemos incluido una variedad de otros objetos, algunos enormes, otros diminutos, que muestran la amplitud de las colecciones y revelan aspectos del Museo que pueden sorprender incluso a los visitantes habituales. Relativamente pocas personas saben que el Museo sigue coleccionando objetos contemporáneos, como el Trono de las Armas, insignias de elecciones y campañas políticas recientes, obras de arte de Oriente Próximo y ejemplares de la artesanía japonesas del siglo XXI, junto con cómics manga. Esto es así porque el Museo existe tanto para comprender el presente como para ayudar a la gente a entender el pasado. Para cumplir ambas funciones, el Museo necesita añadir constantemente nuevos artículos, capaces de crear perspectivas nuevas y diferentes, a partir de las cuales los visitantes puedan relacionar el pasado con el presente. En este sentido, los museos siempre miran al futuro.

Puede que cueste asociar los objetos que intencionadamente se incluyen en este libro con el concepto de "obras maestras". ¿Es una muñeca de trapo del Egipto romano una "obra maestra", comparable con una acuarela del artista Turner? Otras piezas destacan por la técnica que requiere su elaboración o por su impacto visual y "belleza", pero posiblemente los conozcan tan sólo unos cuantos especialistas. Por esta razón, la noción de "obra maestra" quizá resulte extraña cuando se tiene en cuenta que el Museo Británico no es un museo de las artes ni una pinacoteca, a pesar de que alberga muchas obras artísticas maravillosas. Sin duda, muchos de sus visitantes buscan inspiración en los exponentes artísticos que ven aquí, pero se trata tan sólo de una de las muchas funciones del Museo. Otra es brindar un lugar donde la gente pueda explorar la historia del mundo, o de culturas y áreas geográficas específicas, a través de los objetos que esas sociedades han creado y que nos hablan de todos los aspectos de sus vidas. En este sentido, la singular supervivencia de una muñeca de trapo romana, un objeto nada espectacular ni de bella factura, establece una estrecha conexión entre nosotros y la vida cotidiana de miles de personas en el mundo romano de hace 2.000 años.

Bajo la ola, *de Hokusai*

El Museo Británico existe por el poder de los objetos, ya sean obras de arte famosas o esquirlas rotas de antiguas vasijas o los restos que nos han llegado de la elaboración de herramientas en la Era Glacial. El poder de los objetos, como pruebas de vidas pasadas y testigos de grades acontecimientos y procesos de la historia humana, es lo que atrae anualmente al Museo a más de 10.000 investigadores y académicos del mundo entero. Estos objetos siguen inspirando poderosamente, al igual que en los últimos 250 años, a artistas, escritores y diseñadores, trabajen en el medio que trabajen. El artista británico Henry Moore visitó por primera vez el Británico en la década de 1920. Las esculturas egipcias, griegas y africanas que en él vio ejercieron una influencia enorme en sus creaciones, que a su vez han influido en los artistas modernos del mundo entero. Este poder, sobre todo cuando los visitantes pueden admirar un objeto de cerca o tocarlo en una las mesas provistas a tal efecto, es también la razón por la que millones de personas acuden al Museo, visitan las colecciones en préstamo o en gira y las exploran por Internet en el sitio web (britishmuseum.org). El poder de los objetos para ayudarnos a comprender nuestro mundo se encontraba en la base y fundación del Museo Británico hace más de 250 años, el primer museo público del mundo. Una ley del Parlamento estableció que el Museo y sus colecciones "se conservaran y mantuvieran no sólo para la inspección y entretenimiento de los eruditos y curiosos, sino para uso y beneficio del público".

Escudo de corteza

ESTE ESCUDO DE CORTEZA fue testigo del primer encuentro entre los nativos australianos y el capitán Cook y su tripulación en la bahía Botany, en las proximidades de la actual ciudad de Sídney (Australia).

Se sabe que el escudo se recogió en 1770, en el primer viaje del capitán Cook a bordo del HMS Endeavour (1768–71). Se trata del único artefacto australiano de aquellos viajes que existe en el Museo.

Cuando el grupo de Cook desembarcó en Botany Bay, se enfrentó a dos hombres de la tribu eora. Cook y sus oficiales dispararon a las piernas de aquellos hombres, y uno corrió a su campamento a hacerse con un escudo para protegerse. El grupo se abrió camino en la playa y los nativos se replegaron, dejando el escudo detrás. Los documentos registrados en la época indican que éste es el escudo abandonado en aquel primer encuentro.

Elaborado en Nueva Gales del Sur (Australia), antes de 1770 d. C.
Recogido en el primer viaje del capitán James Cook
Longitud 97 cm

John White, *Retrato de un miembro de la tribu secotan o pomeioc*

ESTA ACUARELA plasma uno de los primeros retratos de un nativo norteamericano que efectuó un artista del norte de Europa. La pintó John White, acompañante de la expedición inglesa de 1585 que colonizó Roanoke, Virginia. Estaba empleado como dibujante-perito, y uno de sus deberes consistía en tomar registros pictóricos de cualquier cosa desconocida en Inglaterra, como plantas, animales, aves y nativos, especialmente sus costumbres, armas y ceremonias.

Es un retrato de un miembro de una de las dos tribus algonquianas, secotan y pomeioc, que habitaban en el territorio que actualmente ocupan Virginia y Carolina del Norte. La inscripción de White explica la finalidad de los adornos corporales y vestimenta: "El tipo de atavío y pinturas que lucen cuando van a una cacería general o en fiestas solemnes".

De Norteamérica, hacia 1585–93 d. C.
Altura 27,4 cm

Juego real de Ur

Se trata de uno de los juegos de mesa más antiguos que se conservan. El juego forma parte de un grupo de varios objetos similares que encontró Leonard Woolley en el cementerio real de Ur. La madera se ha deteriorado, pero las incrustaciones de conchas, caliza roja y lapislázuli sobrevivieron en sus ubicaciones, de manera que se pudo restaurar la forma original.

Según las referencias en documentos antiguos, dos jugadores competían por llevar sus fichas de un extremo a otro del tablero. Las fichas con las que se jugaba en este tablero en concreto no han sobrevivido. Sin embargo, en Ur se excavaron algunas fichas con incrustaciones de pizarra y conchas junto a sus respectivos juegos. Al parecer, los tableros eran huecos y las fichas se guardaban en su interior. También se encontraros dados con forma de bastón y de tetraedro.

Se han hallado ejemplares de este "juego de las veinte casillas", datados entre 3000 a. C. hasta el primer milenio d. C., desde el Mediterráneo oriental y Egipto hasta la India.

De Ur, sur de Irak, hacia 2600–2400 a. C.
Altura 2,4 cm, anchura 11 cm, longitud 30,1 cm

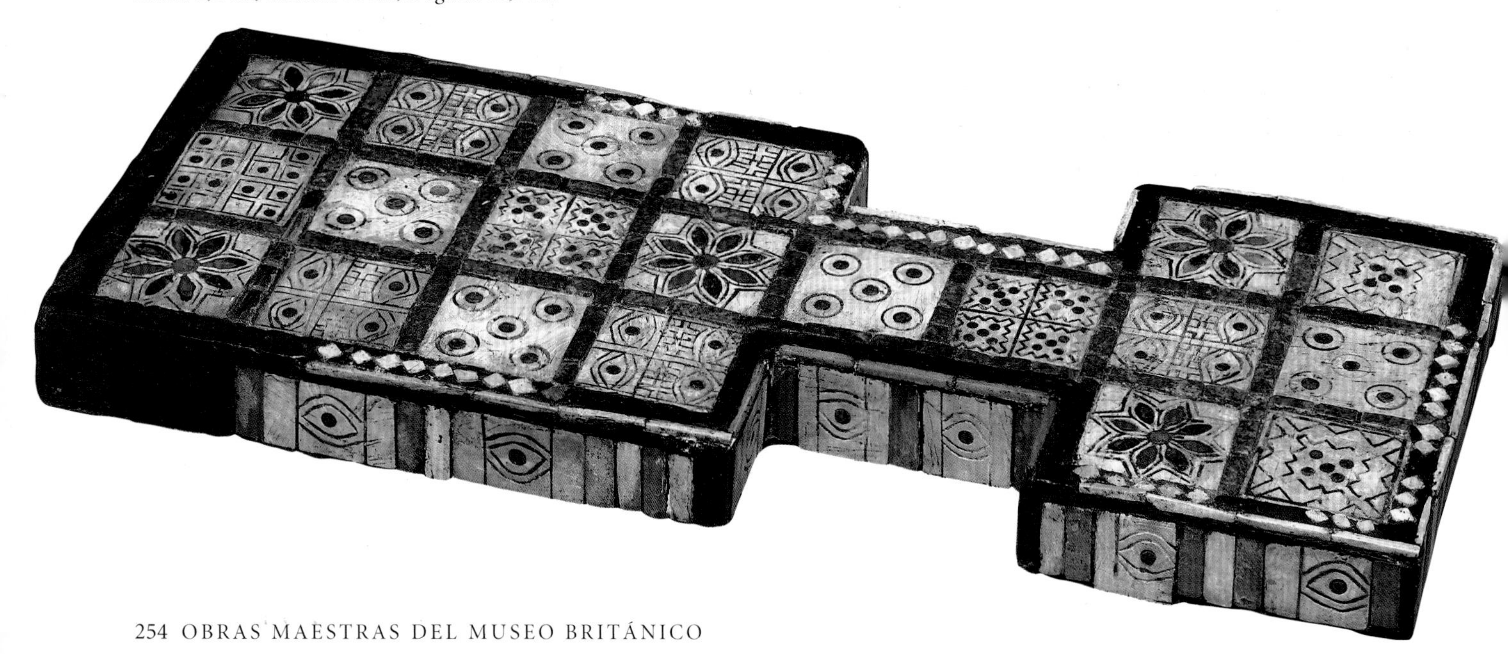

Muñeca de trapo

EN LA ANTIGÜEDAD, las muñecas solían estar hechas de trapo, madera, hueso o arcilla cocida. Han sobrevivido relativamente pocas, debido al carácter perecedero de los materiales empleados. Esta muñeca nos ha llegado gracias a la enorme sequedad reinante en algunas partes de Egipto.

Está hecha de lino basto y rellena de trapos y trozos de papiro. Los brazos se formaron con un largo rollo de lino acoplado a la espalda. Llevaba lana de colores, ya desteñida, en partes de la cara y el cuerpo. Una cuenta de vidrio azul enganchada en la cabeza, quizás un adorno del pelo, indica que la muñeca era femenina.

Las muñecas comprendían desde juguetes hechos en casa, como este ejemplo, hasta obras de arte en miniatura con rasgos bellamente trabajados y cuerpos con articulaciones. Los niños jugaban además con una amplia variedad de juguetes, como animales, soldados, casas de muñecas con mobiliario en miniatura, trompos, aros y canicas.

Romana, hecha en Egipto, siglos I–V d. C.
Altura 19 cm
Obsequio de la Fundación para la Exploración de Egipto

Gamelán Raffles

Un gamelán es un grupo de instrumentos que tradicionalmente acompaña los teatrillos de marionetas, las obras de danza, festivales y demás ceremonias de Indonesia. Durante los espectáculos de sombras chinescas, la orquesta enfatiza los momentos de mayor dramatismo y proporciona la música que describe la personalidad de los personajes en escena. Existen varios modelos de gamelanes, que se diferencian principalmente por la cantidad y el tipo de instrumentos que conforman cada orquesta y el sistema tonal usado. Una orquesta puede contener desde pocos instrumentos hasta más de treinta.

Sir Stamford Raffles, antiguo vicegobernador de Java y fundador de Singapur, llevó este gamelán a Gran Bretaña. Los armazones de los instrumentos son excepcionales: están tallados en forma de pavos reales, dragones, ciervos y otros animales.

De Java (Indonesia), siglo XIX d. C.
Longitud 100 cm
Colección de sir Stamford Raffles
Legado del Revdo. Raffles Flint

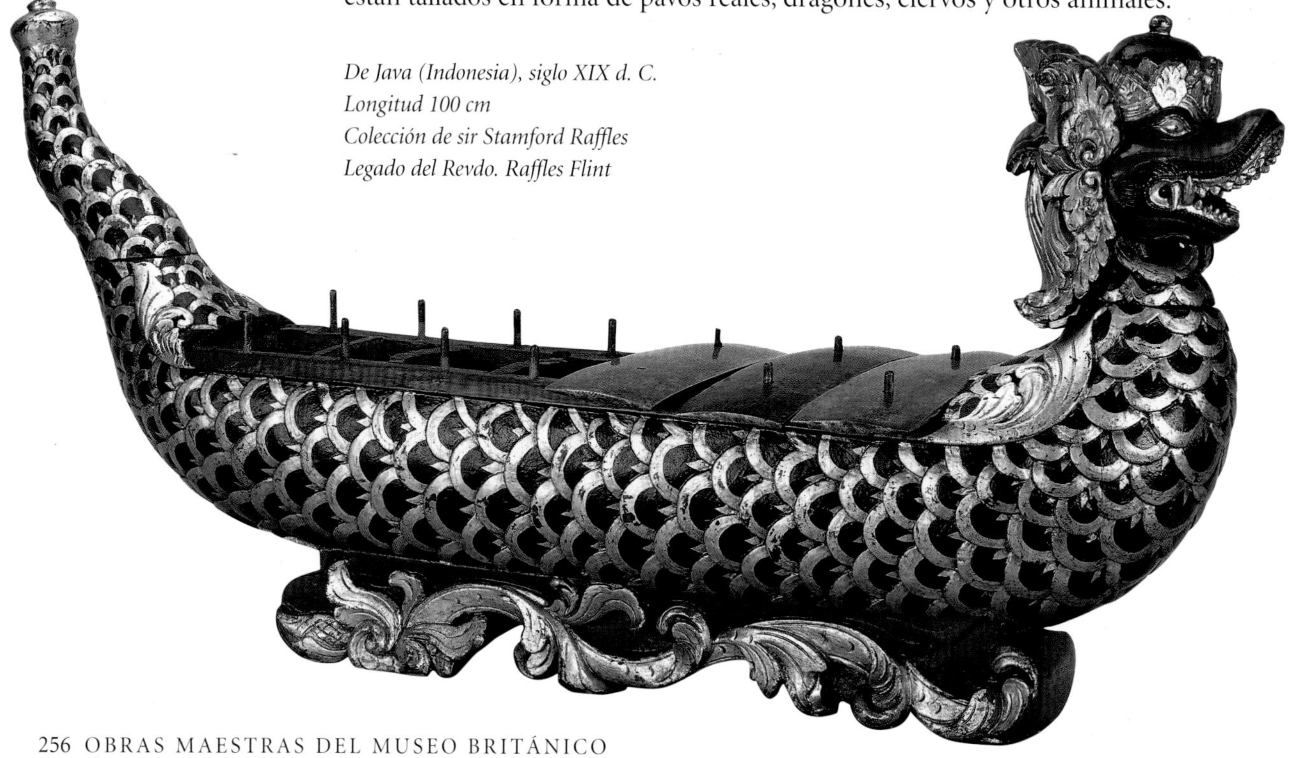

Cítola

Una cítola es el equivalente medieval de la guitarra. Este ejemplar constituye tanto un superviviente único en su género como un ejemplo sobresaliente del arte seglar medieval. En su época fue altamente preciado y siguió siéndolo a lo largo de la historia.

La parte posterior, laterales y mástil están tallados en una sola pieza de madera, que data de finales del siglo XIII o principios del XIV. Se han efectuado varias modificaciones a la cítola, incluidos intentos de convertirla en violín.

Esta cítola, o cítara, contiene tallas de árboles, criaturas del bosque y escenas de caza. Se le añadió una placa de plata, grabada con el escudo de Isabel I, reina de Inglaterra (1558–1603) y el de su valido y amante, Robert Dudley, conde de Leicester. La cítara se usó para acompañar baladas de amor en la época medieval; esto, junto a los adornos de caza, debió de atraer a Isabel y Leicester, pues ambos eran cazadores apasionados.

Hecha en Inglaterra, hacia 1280–1330 d. C.
Longitud 61 cm
Adquirida con la ayuda de Art Fund y Pilgrim Trust

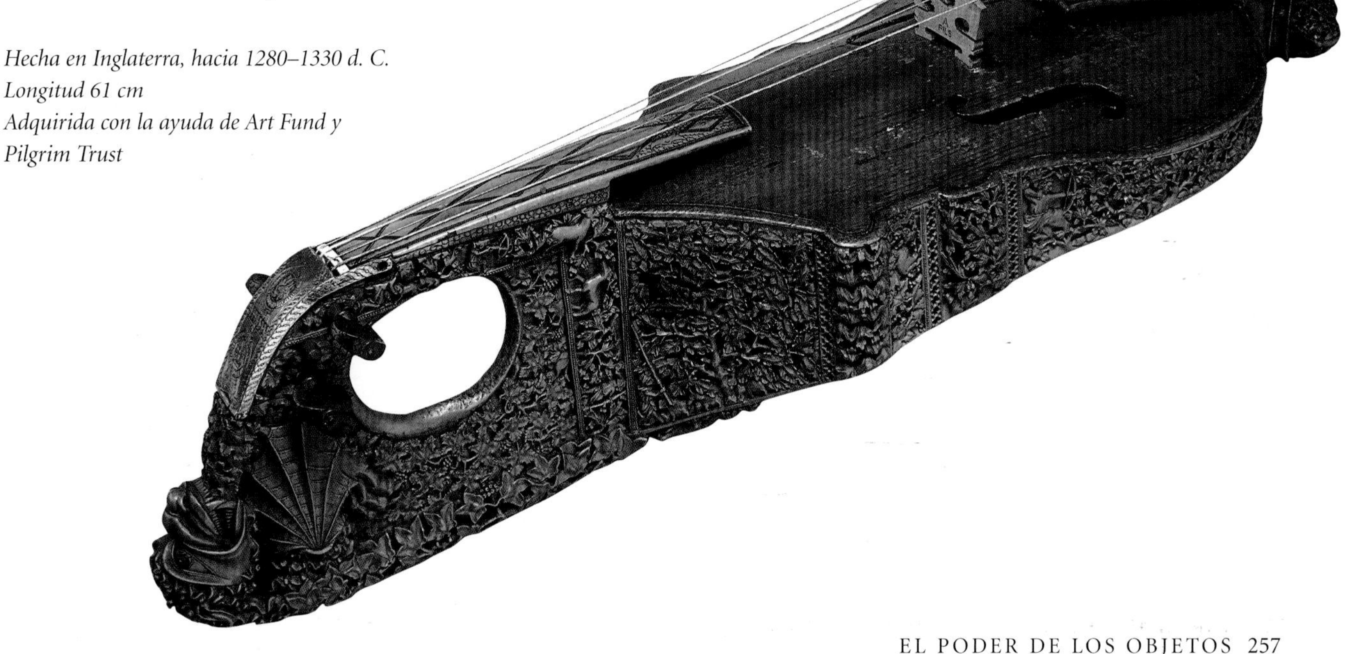

Billete de 1.000.000 de marcos

LOS BILLETES DE BANCO por cantidades de dinero exorbitadas parecen un sueño hecho realidad, pero suelen ser consecuencia de una pesadilla económica. Tras la I Guerra Mundial (1914–18), Alemania se enfrentó a reclamaciones agobiantes de pagos por resarcimiento, y sufrió una depresión económica aguda. A principios de la década de 1920, se produjo una inflación desastrosa, que acarreó la emisión creciente de billetes con denominaciones de hasta cien mil millones de marcos. Debido a la subida incesante de los precios, estas sumas de dinero aparentemente ingentes podían comprar cada vez menos.

La gente vio cómo sus ahorros e ingresos se quedaban en nada. Los sueldos se recogían en sacos, y los tenderos usaban cajas de embalaje en lugar de cajas registradoras para guardar los billetes. En 1923, cuando el Reichsbank emitió este billete de un millón de marcos, el precio de un bocadillo de jamón subió de 14.000 a 24.000 marcos en un día, y el de una hogaza de pan ascendió hasta 400.000 millones de marcos.

De Alemania, 1923 d. C. Altura 8 cm
Colección del Instituto Colegiado de Banqueros

Crésido de oro

Se cree que las primeras monedas se emitieron en Lidia (actual Turquía) hacia 650–600 a. C. Uno de los reyes de Lidia, Creso (r. hacia 560–547 a. C.), era famoso por su riqueza. La expresión "más rico que Creso" se sigue usando actualmente para indicar una fortuna fabulosa. Su capital, Sardis (actual Turquía), se encontraba junto al río Pactolo, en parte responsable de su legendaria riqueza. El electro, una aleación de oro y plata, se hallaba naturalmente en las arenas del fondo del río, del que se extraía en la antigüedad. Las primeras monedas se acuñaron en dicho metal.

Por su legendaria riqueza, se atribuyeron a Creso las primeras monedas de oro puestas en circulación. Los escritores antiguos mencionan una moneda de oro llamada "un crésido", y probablemente se referían a la que aparece en la ilustración.

Lidia (actual Turquía), hacia 550 a. C.
Diámetro 2 cm
Peso 8,003 g

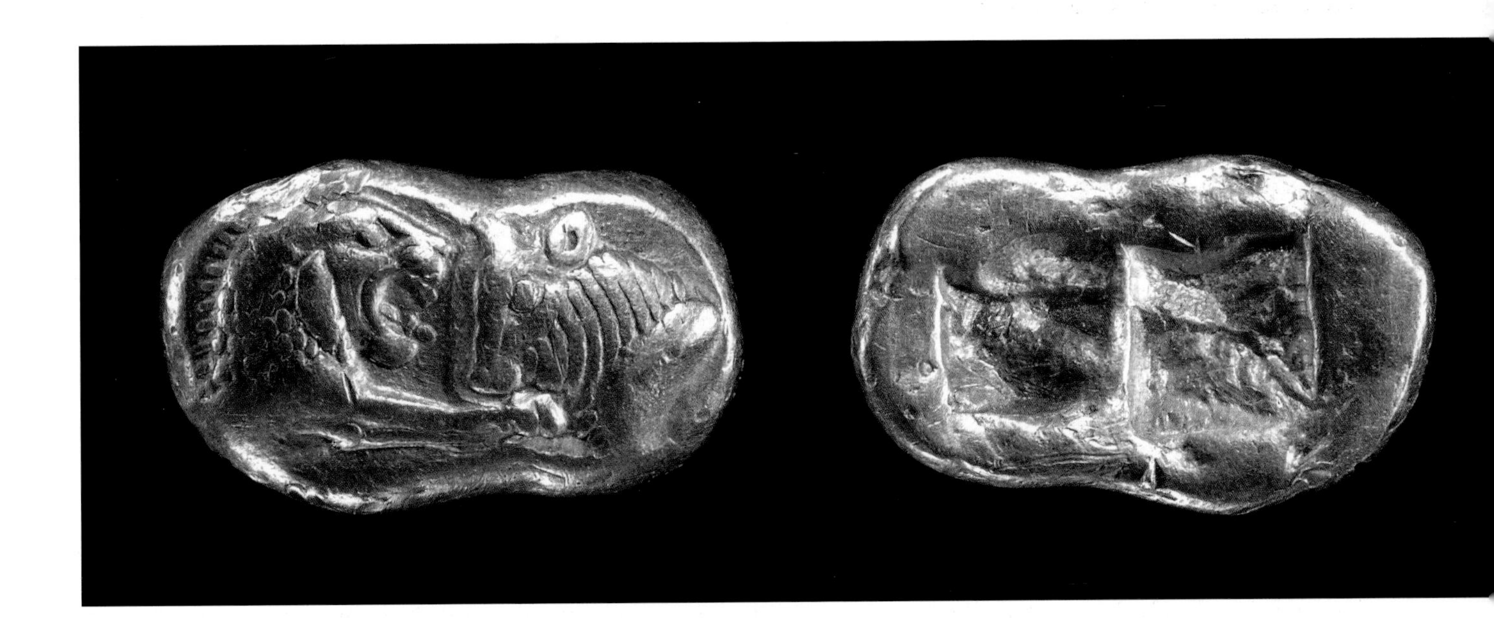

Compendio astronómico

Un compendio astronómico es una colección de pequeños instrumentos matemáticos reunidos en una sola caja. Proporcionaba al usuario múltiples opciones en un formato práctico, pero era también un artículo caro, con el que su propietario buscaba una ostentación de su riqueza. James Kynvyn creó este recargado ejemplar para Robert Devereux, II conde de Essex (1567–1601), cuyo escudo, emblema y lema están grabados en el interior de la tapa.

El compendio consta de un nocturlabio (para averiguar la hora de noche a partir de la posición de los astros), una lista de latitudes, una brújula, una lista de puertos, un calendario perpetuo y un indicador lunar. El compendio se podía usar como reloj, para conocer las mareas en un puerto en concreto y para cálculos de calendario. El nocturlabio se restauró incorrectamente en algún momento, por lo que, lamentablemente, esta parte del compendio ya no funciona.

De Londres (Inglaterra), 1593 d. C.
Diámetro 5,9 cm

Reloj de mesa de Thomas Tompion

THOMAS TOMPION CREÓ este reloj anual de mesa, accionado por muelle, para Guillermo III (r. 1689–1702). Se trata de una obra espectacular del relojero británico más famoso. La caja es de chapa de ébano, decorada con apliques de plata y soportes de latón dorado.

La esfera marca las horas y los minutos, pero también posee una apertura en la parte superior que muestra los días de la semana, cada uno personificado en el planeta que lo gobierna. La duración de un año se consigue mediante trenes de seis engranajes, propulsados por cilindros relativamente grandes y poleas cónicas (caracol). El reloj posee un escape de rueda *foliot*, controlado por un péndulo corto. Marca las horas con el pase y posee un sistema de repetición a cuartos (es decir, marca las horas y los cuartos al tirar de una cuerda en el lateral de la caja). Una placa de plata en la esfera lleva la inscripción *T Tompion Londini Fecit* (Obra de Thomas Tompion de Londres).

Hecho en Londres (Inglaterra), hacia 1690 d. C.
Altura 71 cm
Adquirido con la ayuda de
National Heritage Memorial Fund y Art Fund

Samuel Palmer (1805–81): *Maizal a la luz de la luna con el lucero del alba*

PALMER EMPEZÓ SU CARRERA artística a edad muy temprana: a los 14 años expuso por primera vez en la Royal Academy. En 1824 conoció a William Blake, cuyo influjo le sirvió para confirmar su aproximación visionaria al arte. Palmer se retiró a la aldea de Shoreham, Kent (Inglaterra). Allí reunió un grupo de artistas influidos por Blake, como Edward Calvert (1799–1883) y George Richmond (1809–96), que se autodenominaron "Los antiguos".

Palmer produjo sus obras más características durante su estancia en Shoreham, y esta magnífica acuarela, con gouache y plumilla y tinta, es una de las mejores de aquel periodo. La técnica de Palmer era tan poco convencional como su concepto. El artista mezcló la pintura usada en este cuadro con varios barnices y pastas para modificar su grosor y brillo.

De Inglaterra, hacia 1830 d. C.
Altura 19,7 cm
Adquirido con la ayuda de National Heritage Memorial Fund, Fundación Henry Moore, Publicaciones del Museo Británico, Amigos del Museo Británico y sir Duncan Oppenheim

Katsushika Hokusai (1760–1849): *Bajo la ola, junto a Kanagawa (Kanagawa oki nami-ura)*

Se trata posiblemente del grabado de color en madera más famoso de Hokusai, puede que el más famoso de todos los grabados japoneses. Destaca en el fondo de la imagen el elegante monte Fuji, cuya cumbre nevada contrasta contra un horizonte azul oscuro. Sin embargo, parece una colina diminuta en comparación con la imponente inmensidad de la ola que amenaza con engullir las barcas. Esta manipulación de la composición, inteligente y divertida, caracteriza muchas obras de Hokusai.

El grabado pertenece a la serie *Treinta y seis vistas del monte Fuji*, el primero que explotó las posibilidades del nuevo (y barato) pigmento químico azul de Prusia. La serie de Hokusai se convirtió en un éxito comercial tan rotundo que su editor, Nishimuraya Eijudō, la amplió con otros diez grabados, esta vez de contornos negros en lugar de azules. Aunque son muy preciadas actualmente, se sacaron varios miles de impresiones de los tacos de madera de cerezo, literalmente todas las que el editor fue capaz de vender.

De Japón, periodo Edo, hacia 1829–33 d. C.
Altura 25,9 cm
Legado de Charles Shannon, RA

Bi de jade

EN EUROPA Y EN CHINA, el pasado desempeñó una labor fundamental como estímulo artístico y de la imaginación durante el siglo XVIII. Esto se puede observar en este objeto antiguo y en la acuarela de la página siguiente.

Este *bi* (anillo o disco) de jade data de la dinastía Shang (hacia 1500–1050 a. C.). Grabado en el *bi*, sin embargo, hay un poema que escribió el emperador Qianlong (r. 1736–95 d. C.). El emperador asegura en su inscripción que la forma exquisita y sutil del *bi* y la calidad del jade del que está hecho azuzaron su imaginación poética. El emperador Qianlong era un gran coleccionista de antigüedades y adquirió muchas pinturas, bronces, porcelanas y jades antiguos para la colección imperial. El emperador no sólo deseaba poseer dichos objetos, sino que quería dejar su sello, escribir poemas o anotar comentarios en ellos.

De China, dinastía Shang (hacia 1500–1050 a. C.)
Diámetro 15 cm

J.M.W. Turner (1775–1851): *Abadía de Tintern, el crucero*

DOS PINTORES FAMOSOS crearon las imágenes de esta página y la siguiente casi simultáneamente en diferentes partes de Europa. Esta acuarela de la abadía de Tintern es obra de Turner. A finales del siglo XVIII, las repercusiones de la Revolución Industrial en el paisaje y el gusto por todo lo medieval o "neogótico" trajeron consigo una nueva apreciación de la campiña británica. Los turistas buscaban ruinas pintorescas y paisajes románticos.

Turner visitó las ruinas de esta abadía del siglo XII, en Monmouthshire, en 1792 y en 1793. A los visitantes les impresionaba cómo la naturaleza había vuelto a apoderarse del monumento, y el tamaño y grandiosidad de los edificios. Las aguadas de azul verdoso de Turner sobre el muro del fondo mezclan a la perfección piedra y follaje. Posiblemente otro artista que trabajaba con Turner añadió las figuras del grupo de turistas y el jardinero, un método de producción habitual en la época.

De Inglaterra, hacia 1795 d. C.
Altura 34,5cm
Legado de R.W. Lloyd

Francisco José de Goya y Lucientes (1746–1828): *El sueño de la razon produce monstruos*

Francisco José de Goya y Lucientes era pintor de corte de la familia real española, pero también retratista y artista satírico. En 1799, produjo una serie de 80 grabados satíricos en aguafuerte llamados *Los Caprichos*. La serie ridiculizaba los vicios y extravagancias de la sociedad española contemporánea.

El grabado *El sueño de la razón produce monstruos* le sirvió de título general a la segunda parte de la serie, ambientada en el mundo de las pesadillas, donde brujas y demonios encubren una sátira social. En él aparece el artista dormido sobre su mesa de trabajo, cubierta de papeles y útiles de dibujar. Las criaturas nocturnas surgen de las sombras, y un búho le ofrece un portalápices. Un boceto de este grabado, de 1797, decía: "El autor soñando. Su intento es sólo desterrar vulgaridades perjudiciales y perpetuar con esta obra de Caprichos el testimonio sólido de la verdad".

De España, primera publicación en 1799 d. C.
Altura 21,4 cm

William Blake (1757–1827): *Albión se irguió*

Este grabado en aguafuerte y colores, con añadidos a mano en tinta, se creó tres años antes que *El sueño de la razón* de Goya y un año después de la acuarela de Turner sobre la abadía de Tintern. Plasma la figura de Albión, personificación de Gran Bretaña. Blake solía retratar a Albión como un viejo agotado o encadenado, destruido por la guerra, la injusticia social, la falsa moralidad y el capitalismo. Esta imagen de Albión se imprimió en 1796 y refleja lo mucho que inspiraron a Blake los cambios políticos resultantes de la Guerra de la Independencia Americana (1776–81) y la Revolución Francesa (1789).

Albión aparece aquí como un joven vigoroso y alegre, que se libera de los grilletes del materialismo. En la visión del mundo de Blake, Albión podía salvarse mediante el triunfo de la libertad individual, la imaginación y la espiritualidad sobre la opresión social, política y religiosa.

De Inglaterra, hacia 1796 d. C.
Altura 26,5 cm

Obelisco negro de Salmanasar III

ESTE OBELISCO de caliza negra se descubrió en el yacimiento de Kalhu, la antigua capital de Asiria. Se erigió como monumento público en 825 a. C., en tiempos de guerra civil. Los relieves glorifican las gestas del rey Salmanasar III (r. 858-824 a. C.) y su ministro en jefe.

En él figuran cinco escenas de tributo. La segunda desde arriba incluye la imagen más antigua conocida de un israelita: el Jehú bíblico, rey de Israel, quien llevó o envió su tributo hacia 841 a. C. La inscripción sobre la escena, escrita en asirio cuneiforme, se puede traducir como: *"El tributo de Jehú, hijo de Omri: recibí de él plata, oro, un cuenco dorado, un jarrón dorado con la parte inferior en punta, vasos de oro, baldes de oro, estaño, un báculo de rey [y] lanzas".*

De Nimrud (antigua Kalhu), norte de Irak, neo-asirio, 858–824 a. C.
Excavado por A. H. Layard
Altura 197 cm

Estandarte de Ur

Este objeto se excavó en una de las tumbas más grandes del cementerio real de Ur, en Mesopotamia. Cuando se encontró, el marco de madera original se había podrido y los paneles estaban aplastados y rotos. Por lo tanto, la restauración actual plasma únicamente una buena hipótesis sobre su aspecto. No se sabe para qué servía, pero se ha sugerido que pueda ser un estandarte o la caja de resonancia de un instrumento musical.

Los grandes paneles, cubiertos con mosaico de conchas, caliza roja y lapislázuli, se conocen como "Guerra" y "Paz". El de la guerra contiene una de las representaciones más antiguas de un ejército sumerio. Carros tirados por asnos pisotean a los enemigos; la infantería viste capas y lleva lanzas; a algunos soldados enemigos se les pasa por las hachas y otros desfilan desnudos delante del rey. El llamado "Paz" representa animales, pescados y otras viandas llevadas en procesión a un banquete. Las figuras sentadas visten vellones de lana o faldas con flecos y beben con el acompañamiento de un músico que toca la lira.

De Ur, sur de Irak, hacia 2600–2400 a. C.
Altura 21,59 cm
Excavado por C.L. Woolley

Vasija de Portland

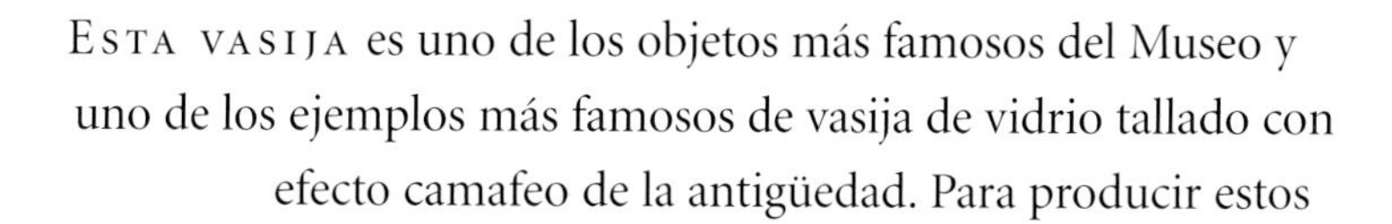

Esta vasija es uno de los objetos más famosos del Museo y uno de los ejemplos más famosos de vasija de vidrio tallado con efecto camafeo de la antigüedad. Para producir estos recipientes se requería gran maestría y destreza técnica. Este ejemplar se consiguió hundiendo el vidrio azul parcialmente soplado en vidrio blanco fundido. A continuación, ambos se soplaron juntos hasta conseguir la forma definitiva. Una vez enfriados, la capa blanca se cortó para formar el dibujo, y posiblemente lo hizo un diestro tallador de piedras preciosas.

Las escenas que decoran la vasija han suscitado un gran debate, pero parece que se refieren a los temas del amor y el matrimonio. La parte inferior de la vasija terminaba en punta, pero se rompió en la antigüedad y se arregló con un disco de vidrio tipo camafeo, en el que se ve a un pensativo rey Príamo de Troya. El disco se exhibe por separado desde 1845.

No se sabe dónde ni cuándo se encontró la vasija. En 1778 la adquirió sir William Hamilton, embajador británico en la corte de Nápoles.

Quizás de Roma (Italia), hacia 5–25 d. C.
Altura 24 cm
Adquirida con la ayuda de un legado de James Rose Vallentin

Jarrón de Pegaso

Este jarrón está hecho de loza de jaspe, un tipo de gres sin vidriado que se puede tintar antes de la cocción. Josiah Wedgwood (1730–95) había perfeccionado la técnica hacia 1775, tras numerosos experimentos.

Wedgwood elaboró varios ejemplares del jarrón de Pegaso en loza de jaspe y en basalto negro. Con sus finos relieves, resaltados sobre la suave superficie del cuerpo, este jarrón constituye una obra maestra del arte del ceramista. Wedgwood, lleno de orgullo, lo entregó al Museo Británico en 1786.

Los modelos de la decoración del jarrón son obra del artista John Flaxman Jr. (1755–1826). Flaxman adaptó diversas fuentes clásicas: las figuras de la escena principal se basan en el grabado de una vasija griega del siglo IV a. C., y las cabezas de Medusa en la base de las asas proceden de un grabado de una sandalia antigua.

Hecho en la fábrica de Etruria, Staffordshire (Inglaterra), 1786 d. C.
Altura 46,4 cm
Obsequio de Josiah Wedgwood

Cofre de la adoración de los Magos

ESTE COFRE CON DORADOS, elaborado en Francia hacia el 1200 d. C., contiene una escena del Nuevo Testamento en el frontal, que muestra el viaje de los Reyes Magos a Belén y su adoración del Niño Jesús. Cada lateral posee una imagen de un santo no identificado, y la parte posterior está decorada con cuadros que enmarcan motivos florales. Posiblemente, el cofre guardaba reliquias del templo de los Reyes Magos en Colonia (Alemania), importante centro de peregrinación en la Europa medieval.

El cofre está hecho de madera decorada con hojas de cobre y esmalte campeado (*champlevé*). El esmalte *champlevé* es una técnica que utiliza celdas individuales cortadas en la base del metal para formar el dibujo. Cada celda se rellena con esmalte. Los ejemplos de esta técnica que datan de entre finales del siglo XII a principios del XIV se llaman esmaltes Limoges, por la ciudad del suroeste de Francia que se convirtió en el primer centro de estas obras de esmaltado.

De Limoges, Francia, hacia 1200 d. C.
Altura 18,5 cm
Colección Bernal

Crátera geométrica, pintada con una pareja y un barco con remeros

ESTA CRÁTERA (recipiente para mezclar vino) está decorada con la escena de una pareja en pie junto a un barco. Parece representar una huida y se ha interpretado como una escena mitológica, posiblemente Teseo llevándose a Ariadna de Creta, o Paris secuestrando a Helena de Esparta. La mujer, con una melena hasta los hombros, lleva una falda larga y sostiene lo que parece una corona. La agarra por la muñeca izquierda un hombre que se vuelve para mirarla mientras da un paso hacia el barco, quizás para abordarlo por las dos planchas. La embarcación, con su larga proa, es la primera representación conocida de un navío con dos filas de remeros.

Posiblemente de la región de Tebas, Beocia (Grecia),
hacia 735–720 a. C.
Altura 30 cm

Calavera de cristal de roca

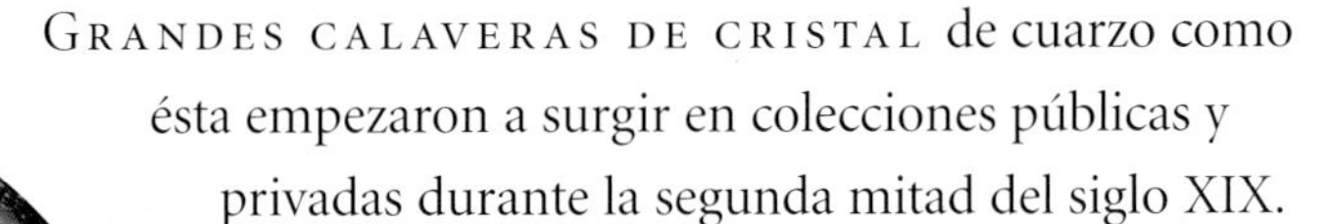

GRANDES CALAVERAS DE CRISTAL de cuarzo como ésta empezaron a surgir en colecciones públicas y privadas durante la segunda mitad del siglo XIX. Algunas de ellas se atribuyeron a los talladores aztecas, mixtecas o incluso mayas. De otras se ha dicho que eran ejemplares del arte posterior a la conquista mexicana, para su uso en iglesias, quizás como bases de crucifijos.

De esta calavera se decía que procedía de México y llegó a Europa a través de un oficial español antes de la ocupación francesa (1862–67). El Departamento de Investigación Científica del Museo ha concluido, sin embargo, que el cristal de cuarzo viene seguramente de Brasil, proveedor relativamente reciente de cristal. Además, muestra indicios del uso de una rueda de joyero, desconocida en América antes de la llegada de los europeos. Estos resultados, junto con el pulido de su superficie, indican que se talló con técnicas tradicionales europeas.

Probablemente europea, siglo XIX d. C.
Altura 25 cm

“Sello de Dios” del juego de magia del Dr. John Dee

EL MUSEO BRITÁNICO alberga diversos objetos relacionados con el matemático, astrólogo y mago isabelino John Dee (1527–1608/09). Dee fue uno de los principales eruditos de su época, pero en los últimos años de su vida se interesó por los fenómenos parasicológicos. Trabajó con un médium, quien veía visiones en “piedras que muestran”, objetos pulidos, traslúcidos o reflectantes, que Dee usaba como herramientas para su investigación ocultista.

El “juego de magia” de Dee contenía un espejo hecho de obsidiana (vidrio volcánico) muy pulida, que Dee usaba a modo de “piedra que muestra”. Se sabe que cuatro discos de cera soportaban las patas de la “mesa de acciones” de Dee. El disco mayor, que aparece aquí, o “Sello de Dios” (Sigillum Dei) se usaba de soporte de una las “piedras que muestran”. Todos los discos de cera llevan grabados nombres, símbolos y signos mágicos. Otro disco, hecho de oro, lleva tallada la Visión de los Cuatro Castillos, que tuvo Dee durante uno de sus “experimentos” en Cracovia en 1584.

Inglaterra, siglos XV–XVI d. C.
Espejo: Azteca, siglos XV–XVI d. C.
Diámetro 23 cm (gran disco de cera)
Disco de oro: Obsequio de Art Fund

Jarrón Piranesi

EL FAMOSO ARQUITECTO y grabador italiano Giovanni Battista Piranesi (1720–78) restauró este jarrón. Piranesi, más conocido por sus paisajes arquitectónicos de la Roma antigua y moderna, destinados al mercado del *Grand Tour*, se dedicó posteriormente al lucrativo negocio de la restauración y venta de antigüedades. En 1769 compró varios fragmentos encontrados en los terrenos de la villa del emperador romano Adriano en Tivoli, cerca de Roma. Los restauró y los incorporó en pastiches clásicos, muy decorativos.

Aunque Piranesi describió este jarrón como una gran obra de arte de la época de Adriano (r. 117–138 d. C.), pocas partes son antiguas: dos de las cabezas de toro de la base, secciones de las patas del león y piezas del relieve de sátiros recogiendo uvas. El resto del jarrón es completamente obra de Piranesi.

De Tivoli (Italia), siglo XVIII, incorpora fragmentos romanos (siglo II d. C.)
Altura 272 cm

Pie colosal de mármol

ESTE PIE DERECHO COLOSAL pertenecía a una estatua varias veces mayor que el tamaño natural. En la antigüedad, esta escala se usaba exclusivamente en las imágenes de dioses y emperadores. Aunque la estatua a la que pertenecía este pie derecho era romana, la sandalia sigue el elaborado tipo griego que se constata por primera vez en el siglo IV a. C. Por lo tanto, es probable que el pie perteneciera a una estatua de un dios principal del Olimpo, quizás representado sentado, pues la figura derecha habría medido más de cinco metros de altura.

Los coleccionistas del siglo XVIII adquirían como curiosidades las extremidades de estatuas colosales. El primer dueño de este pie fue sir William Hamilton (1730–1803), embajador británico en Nápoles, quien regaló al Museo su colección de antigüedades griegas y romanas en 1784. Una lista de donativos al Museo, con fecha del 31 de enero de 1784, se refiere a él como "Pie colosal de un Apolo de mármol".

De Nápoles (Italia)
siglos I–II d. C.
Longitud 88,9 cm

Renos nadando, tallados en la punta de un colmillo de mamut

ESTA TALLA con forma de dos renos es una de las piezas más bellas del arte de la Edad de Piedra que se han encontrado jamás. Los renos aparecen con los morros hacia arriba y las astas hacia atrás, aparentemente nadando. La elección de la pose puede haber sido dictada por la forma afilada del colmillo.

Los animales están perfectamente tallados desde todos los ángulos. La figura de delante es una hembra, con cuerpo y astas más pequeños. El delicado sombreado del pelo se ha conseguido con toques ligeros para representar el distintivo pelaje otoñal de los renos. La mayor figura masculina no presenta este sombreado, pero diversos trazos marcados indican la fortaleza de su cuerpo. Los dos animales llevan las astas hacia atrás y las patas dobladas, excepto la pata trasera del macho, que originalmente estaba extendida hacia atrás.

Del abrigo rocoso de Montastruc, Tarn et Garonne (Francia),
Magdaleniense Tardío, unos 12.500 años de antigüedad
Longitud 20,7 cm
Colección Christy

Hacha de piedra

ESTA PEQUEÑA HACHA de mano de piedra es una de las más bellas del Museo Británico. Está tallada en cuarzo, con una bonita banda de amatista, un material muy difícil de trabajar para elaborar herramientas por su extrema dureza. Quien lo trabajó tuvo que golpear con considerable fuerza y precisión para arrancarle esquirlas. El alto grado de dificultad convierte la forma fina y simétrica de esta pieza en una obra maestra del arte de tallar herramientas.

Tras darle una forma básica al hacha, su tallador refinó la forma, reforzó los bordes y los afiló. Esto no tenía consecuencia alguna en su utilidad: una simple piedra de cuarzo afilada habría servido igual de bien. Este proceder sugiere que invertir tanta pericia en la producción de hachas tan hermosas, y a veces tan grandes, podría haber perseguido otros objetivos. Quizás algunas piezas eran símbolos de rango o revestían importancia ritual.

Del lecho IV, garganta de Olduvai (Tanzania),
Paleolítico Inferior, unos 800.000 años de antigüedad
Longitud 13,6 cm
Anchura 7,7 cm
Diámetro 4,1 cm

Bibliografía recomendada

BRITISH MUSEUM
DVD: *El Mundo a Través del Museo Británico*

The British Museum: 250 Years, Marjorie Caygill, 2005
The British Museum: A History, David M. Wilson, 2002
The British Museum A-Z Companion, Marjorie Caygill, 2007
The British Museum Reading Room, Marjorie Caygill, 2000
Building the British Museum, Marjorie Caygill & Christopher Date, 1999
The Collections of the British Museum, ed. David M. Wilson, 2007
Explore the British Museum: A Family Souvenir Guide, Richard Woff, 2007
The Great Court and the British Museum, Robert Anderson, 2005
The Story of the British Museum, Marjorie Caygill, 2002
Treasures of the British Museum, Marjorie Caygill, 2009
The Art of Small Things, John Mack, 2007
Behind the Scenes at the British Museum, ed. Andrew Burnett & John Reeve, 2001
Christian Art, Rowena Loverance, 2007
Flowers, ed. Marjorie Caygill, 2006
Little Book of Treasures, 2006
The Museum of the Mind, John Mack, 2003
Visitor's Guide, John Reeve, 2008
Winter: A British Museum Companion, ed. Marjorie Caygill, 2004
World Religions: British Museum Visitor's Guide, John Reeve, 2008

AFRICA
Africa: Arts and Cultures, ed. John Mack, 2005
African Art in Detail, Chris Spring, 2009
African Designs, Rebecca Jewell, 2006
African Textiles, John Picton & John Mack, 1999
The Art of Benin, Nigel Barley,2010
Bronze Head from Ife, Edithe Platte, 2010
The Kingdom of Kush, Derek A. Welsby, 2001
Medieval Kingdoms of Nubia, Derek A. Welsby, 2001
Silk in Africa, Christopher Spring & Julie Hudson, 2002

AMERICAS
Centroamérica y Sudamérica
Ancient American Art in Detail, Colin McEwan, 2009
Aztec and Maya Myths, Karl Taube, 2002
Alfred Maudslay and the Maya: A Biography, Ian Graham, 2002
Fiesta: Days of the Dead and other Mexican Festivals, Chloë Sayer, 2009
Inca Myths, Gary Urton, 1999
Nasca: Eighth Wonder of the World?, Anthony F. Aveni, 2000
Textiles from the Andes, Penny Dransart & Helen Wolfe, 2011
Textiles from Guatemala, Ann Hecht, 2001
Textiles from Mexico, Chloë Sayer, 2002
Turquoise Mosaics from Mexico, C. McEwan et al., 2006
Unknown Amazon, ed. C. McEwan, C. Barreto & E. Neves, 2001

Norteamérica
The American Scene: Prints from Hopper to Pollock, Stephen Coppel with Jerzy Kierkuc-Bielinski, 2008
A New World: England's first view of America, Kim Sloan, 2007
North American Indian Designs, Eva Wilson, 2000
Ritual and Honour, Max Carocci, 2011

ANTIGUO EGIPTO
Ancient Egypt: Art, Architecture and History, Francesco Tiradritti, 2007
The British Museum Book of Ancient Egypt, ed. A.J. Spencer, 2007
The British Museum Dictionary of Ancient Egypt, Ian Shaw & Paul Nicholson, 2008
The Ancient Egyptian Book of the Dead, trans. Raymond O. Faulkner, Reissue 2010
Ancient Egyptian Designs, Eva Wilson, 2008
An Ancient Egyptian Herbal, Lise Manniche, 2006
Ancient Egyptian Medicine, John F. Nunn, 2006
Ancient Egyptian Religion, Stephen Quirke, 1992
The Art of Ancient Egypt, Gay Robins, 2008
The Cat in Ancient Egypt, Jaromir Malek, 2006
Concise Introduction: Ancient Egypt, T.G.H. James, 2005
Death and the Afterlife in Ancient Egypt, John Taylor, 2001
Egypt, Vivian Davies & Renée Friedman, 1999
Egypt after the Pharaohs, Alan K. Bowman, 1996
Egypt from Alexander to the Copts: An Archaeological and Historical Guide, ed. Roger S. Bagnall & Dominic W. Rathbone, 2004
Egyptian Mummies, John H. Taylor, 2010
Egyptian Myths, George Hart, 2008
Eternal Egypt: Masterworks of Ancient Art from the British Museum, Edna R. Russmann, 2001
Food Fit for Pharaohs: An Ancient Egyptian Cookbook, Michelle Berriedale-Johnson, 2008
The Gayer-Anderson Cat, Neal Spencer, 2007
Journey through the afterlife, John H. Taylor, 2011
Little Book of Mummies, 2004
Magic in Ancient Egypt, Geraldine Pinch, 2006
Masterpieces of Ancient Egypt, Nigel Studwick, (paperback) 2012
Monuments of Ancient Egypt, Jeremy Stafford-Deitsch, 2001
Mummy: The Inside Story, John H. Taylor, new edn. 2011
The Painted Tomb-Chapel of Nebamun, Richard Parkinson, 2008
The Rosetta Stone, Richard Parkinson, 2005
Spells for Eternity: The ancient Egyptian Book of the Dead, John H. Taylor, 2010
Sudan: Ancient Treasures, ed. Derek A. Welsby & Julie R. Anderson, 2004
The Tale of Peter Rabbit, hieroglyph edn, 2007
Voices from Ancient Egypt: An Anthology of Middle Kingdom Writings, R.B. Parkinson, 2004
Women in Ancient Egypt, Gay Robins, 2008
Women in the Ancient World, Jenifer Neils, 2011
Write Your Own Egyptian Hieroglyphs, Angela McDonald, 2007

ANTIGUA GRECIA Y ROMA
The British Museum Book of Greek and Roman Art, Lucilla Burn, 2005
The Classical Cookbook, Andrew

Dalby & Sally Grainger, new edn. 2012
Classical Love Poetry, ed. & trans. Jonathan Williams & Clive Cheesman, 2007
Masterpieces of Classical Art, Dyfri Williams, 2009
The Portland Vase, Susan Walker, 2004
Sex or Symbol? Erotic Images of Greece and Rome, Catherine Johns, 2005
Women in the Ancient World, Jenifer Neils, 2011

Mundo griego

The Ancient Olympic Games, Judith Swaddling, new edn. 2011
Concise Introduction: Ancient Greece, Jenifer Neils, 2008
The Discobolus, Ian Jenkins, 2012
The Elgin Marbles, Brian Cook, 2008
Etruscan Civilization: A Cultural History, Sybille Haynes, 2005
Etruscan Myths, Larissa Bonfante & Judith Swaddling, 2006
The Etruscans: Art, Architecture and History, Federica Borrelli & Maria Cristina Targia, 2004
Greek Architecture and its Sculpture, Ian Jenkins, 2006
Greek Designs, Sue Bird, 2003
Greek Myths, Lucilla Burn, 2004
Greek Vases, Dyfri Williams, 1999
How the Olympics Came to Be, Helen East & Mehrdokht Amini, 2011
The Lion of Knidos, Ian Jenkins, 2008
Minoans, J. Lesley Fitton, 2002
The Mycenaeans, Louise Schofield, 2007
The Parthenon Frieze, Ian Jenkins, 2008
The Parthenon Sculptures, Ian Jenkins, 2007
Power Games, David Stuttard, 2011

Mundo romano

31 BC: Antony, Cleopatra and the Fall of Egypt, David Stuttard & Sam Moorhead, 2012
AD 410: The Year that Shook Rome, Sam Moorhead & David Stuttard, 2010
Ancient Rome: Art, Architecture and History, Ada Gabucci, 2007
Ancient Mosaics, Roger Ling, 1998
Concise Introduction: Ancient Rome, Nancy H. Ramage & Andrew Ramage, 2008
Mummy Portraits from Roman Egypt, Paul Roberts, 2008
Roman Myths, Jane F. Gardner, 2008
The Warren Cup, Dyfri Williams, 2006

ANTIGUO ORIENTE PRÓXIMO

Afghanistan: Crossroads of the Ancient World, Fredrik Hiebert & Pierre Cambon, 2011
Ancient Persia, John Curtis, 2006
Art and Empire: Treasures from Assyria in the British Museum, ed. J.E. Curtis & J.E. Reade, 2006
Assyrian Palace Sculptures, Paul Collins, 2008
Assyrian Sculpture, Julian Reade, 2006
Babylon: City of Wonders, Irving Finkel & Michael Seymour, 2008
Babylon: Myth and Reality, ed. Irving Finkel & Michael Seymour, 2008
The Bible in the British Museum, T.C. Mitchell, 2008
The British Museum Dictionary of the Ancient Near East, ed. Piotr Bienkowski & Alan Millard, 2000
Canaanites, Jonathan Tubb, 2005
Forgotten Empire: The World of Ancient Persia, ed. John E. Curtis & Nigel Tallis, 2006
From Egypt to Babylon: The International Age 1500–500 BC, Paul Collins, 2008
Gods, Demons and Symbols of Ancient Mesopotamia: An Illustrated Dictionary, Jeremy Black & Anthony Green, 2008
Mesopotamia, Julian Reade, 2008
Mesopotamian Myths, Henrietta McCall, 2008
Persian Love Poetry, Vesta Sarkhosh Curtis & Sheila R. Canby, 2007
Persian Myths, Vesta Sarkhosh Curtis, 2006
The Persian Empire: A History, Lindsay Allen, 2005
Phoenicians, Glenn Markoe, 2002
The Queen of the Night, Dominique Collon, 2005
Shah 'Abbas and the Remaking of Iran, ed. Sheila R. Canby, 2009
Shah 'Abbas and the Treasures of Imperial Iran, Sheila R. Canby, 2009

ASIA

China

The British Museum Book of Chinese Art, ed. Jessica Rawson, 2007
The Art of Calligraphy in Modern China, Gordon S. Barrass, 2002
Blue & White: Chinese Porcelain around the World, John Carswell, 2007
Chinese (Reading the Past), Oliver Moore, 2000
Chinese Art in Detail, Carol Michaelson & Jane Portal, 2006
Chinese Calligraphy: Standard Script for Beginners, Qu Lei Lei, 2005
Chinese Ceramics: Highlights of the Sir Percival David Collection, Regina Krahl & Jessica Harrison-Hall, 2009
Chinese Love Poetry, ed. Jane Portal, 2006
Chinese Myths, Anne Birrell, 2000
Chinese Pottery and Porcelain, Shelagh Vainker, 2005
The First Emperor, ed. Jane Portal, 2007
First Masterpiece of Chinese Painting: The Admonitions Scroll, Shane McCausland, 2003
Ming Ceramics in the British Museum, Jessica Harrison-Hall, 2001
Modern Chinese ink paintings, Clarissa von Spee, 2012
Pocket Timeline of China, Jessica Harrison-Hall, 2007
The Printed Image in China, Clarissa von Spee, 2009
The Terracotta Warriors, Jane Portal, 2007

Corea

Korea: Art and Archaeology, Jane Portal, 2000

Japón

Japanese Art: Masterpieces in the British Museum, Lawrence Smith, Victor Harris & Timothy Clark, 1990
100 Views of Mount Fuji, Timothy Clark, 2001
Crafting Beauty in Modern Japan, ed. Nicole Rousmaniere, 2007
Cutting Edge: Japanese Swords in the British Museum, Victor Harris, 2004
Floating World: Japan in the Edo period, John Reeve, 2006
Haiku, ed. David Cobb, 2005
Haiku Animals, Mavis Pilbeam, 2010
Hokusai's Great Wave, Timothy Clark, 2011
Japanese Art in Detail, John Reeve, 2006
A Japanese Menagerie: Animal Pictures by Kawanabe Kyosai, Rosina Buckland, Timothy Clark & Shigeru Oikawa, 2006
Japanese Prints: Ukiyo-e in Edo, 1700–1900, Ellis Tinios, 2010
Shinto: The Sacred Art of Ancient Japan, ed. Victor Harris, 2001
Shunga: Erotic Art in Japan, Rosina Buckland, 2010

Sur de Asia y Sudeste Asiático

Amaravati: Buddhist Sculpture from the Great Stupa, Robert Knox, 1992
Bengali Myths, T. Richard Blurton, 2006
The Buddha, Delia Pemberton, 2007
Burma: Art and Archaeology, ed. Alexandra Green & T. Richard Blurton, 2002
Hindu Art, T. Richard Blurton, 2002
Hindu Myths, A.L. Dallapiccola, 2007

Hindu Visions of the Sacred, A.L. Dallapiccola, 2004
Indian Art in Detail, A.L. Dallapiccola, 2007
Indian Love Poetry, A.L. Dallapiccola, 2006
Rajput Painting, Roda Ahluwalia, 2008
South Indian Paintings, A.L. Dallapiccola, 2010
Vietnam Behind the Lines: Images from the War 1965–75, Jessica Harrison-Hall, 2002
Visions from the Golden Land: Burma and the Art of Lacquer, Ralph Isaacs & T. Richard Blurton, 2000

GRAN BRETAÑA Y EUROPA

Europa prehistórica

Britain and the Celtic Iron Age, Simon James & Valery Rigby, 1997
Celtic Art, Ian Stead, 2003
Celtic Myths, Miranda Green, 2003
Lindow Man, Jody Joy, 2009
Little Book of Celts, 2004
The Swimming Reindeer, Jill Cook, 2010

Gran Bretaña romana

Roman Britain, T.W. Potter, 2003
Roman Britain, Ralph Jackson & Richard Hobbs, 2010
The Hoxne Treasure, Roger Bland & Catherine Johns, 1994
Life and Letters on the Roman Frontier: Vindolanda and its People, Alan K. Bowman, 2008

Europa medieval

Anglo-Saxon Art, Leslie Webster, 2012
Byzantium, Rowena Loverance, 2008
Chronicles of the Vikings: Records, Memorials and Myths, R.I. Page, 2002
English Tilers, Elizabeth Eames, 2004
Icons, Robin Cormack, 2007
The Lewis Chessmen, James Robinson, 2005
Masons and Sculptors, Nicola Coldstream, 2004
Masterpieces of Medieval Art, James Robinson, (paperback) 2012
The Medieval Cookbook, Maggie Black, new edn. 2006
The Medieval Garden, Sylvia Landsberg, 2005
Medieval Goldsmiths, John Cherry, 2011
Medieval Love Poetry, ed. John Cherry, 2005
Scribes and Illuminators, Christopher de Hamel, 2006
The Sutton Hoo Helmet, Sonja Marzinzik, 2007
The Sutton Hoo Ship Burial, Angela Care Evans, 2008
Treasures of Heaven, Martina Bagnoli, 2011

Europa del Renacimiento y posterior

Angels and Ducats: Shakespeare's Money and Medals, Barrie Cook, 2012
William Blake, Bethan Stevens, 2005
Britain, Lindsay Stainton, 2005
Christ, Rowena Loverance, 2004
Dürer, Giulia Bartrum, 2007
Albrecht Dürer and his Legacy, Giulia Bartrum, 2002
Edward Burne-Jones: The Hidden Humourist, John Christian, 2011
Ferdinand Columbus: Renaissance Collector, Mark P. McDonald, 2005
Fra Angelico to Leonardo, Hugo Chapman & Marzia Faietti, 2010
German Romantic prints and drawings, ed. Giulia Bartrum, 2011
Hogarth, Tim Clayton, 2007
Italian Renaissance Drawings, Hugo Chapman, 2010
Looking at Prints, Drawings and Watercolours: A Guide to Technical Terms, Paul Goldman, 2006
Master Drawings of the Italian Renaissance, Claire Van Cleave, 2007
Medicine Man, Ken Arnold & Danielle Olsen, 2003
Michelangelo, Hugo Chapman, 2006
Michelangelo Drawings: Closer to the Master, Hugo Chapman, 2006
Mrs Delany: Her life and her flowers, Ruth Hayden, 2006
Objects of Virtue: Art in Renaissance Italy, Luke Syson & Dora Thornton, 2004
Samuel Palmer: Vision and Landscape, W. Vaughan et al., 2006
Prints and Printmaking, Antony Griffiths, 2004
Shakespeare: staging the world, Jonathan Bate & Dora Thornton, 2012
Shakespeare's Britain, Jonathan Bate & Dora Thornton with Becky Allen, 2012
Toulouse-Lautrec, Jennifer Ramkalawon, 2007

Europa Moderna

Decorative Arts 1850–1950, Judy Rudoe, 1994
Antony Gormley Drawing, Anna Moszynska, 2002
Eric Gill, Ruth Cribb & Joe Cribb, 2011
Grayon Perry: Tomb of the Unknown Craftsman, Grayson Perry, 2011
Italian Prints 1875–1975, Martin Hopkinson, 2007
London, Sheila O'Connell, 2005
Modern Scandinavian Prints, Frances Carey, 1997
The Print in Germany, Frances Carey & Antony Griffiths, 1984

MUNDO ISLÁMICO

The Art of Hajj, Venetia Porter, 2011
Hajj: journey to the heart of Islam, Muhammed A. S. Abdel Haleem & Hugh Kennedy, 2011
Islamic Art, Barbara Brend, 2007
Islamic Art in Detail, Sheila R. Canby, 2006
Islamic Designs, Eva Wilson, 2007
Islamic Metalwork, Rachel Ward, 2000
Islamic Tiles, Venetia Porter, 2005
Iznik Pottery, John Carswell, 2006
Mughal Miniatures, J.M. Rogers, 2006
The Golden Age of Persian Art 1501–1722, Sheila R. Canby, 2008
Persian Love Poetry, Vesta Sarkhosh Curtis & Sheila R. Canby, 2007
Persian Painting, Sheila R. Canby, 2004
Pocket Timeline of Islamic Civilizations, Nicholas Badcott, 2009
Shah 'Abbas and the Remaking of Iran, ed. Sheila R. Canby, 2009
Shah 'Abbas and the Treasures of Imperial Iran, Sheila R. Canby, 2009

MUNDO DEL PACÍFICO

Baskets & Belonging, Lissant Bolton, 2011
Hoa Hakananai'a, Jo Anne Van Tilburg, 2004
Out of Australia, Stephen Coppel & Wally Caruana
Pacific Art in Detail, Jenny Newell, 2011
Pacific Designs, Rebecca Jewell, 2004
Pacific Encounters: Art and Divinity in Polynesia 1760–1860, Steven Hooper, 2006

ANIMALES

Birds, ed. Mavis Pilbeam, 2008
The British Museum Book of Cats, Juliet Clutton-Brock, 2006
The Cat in Ancient Egypt, Jaromir Malek, 2006
Cats, ed. Delia Pemberton, 2006
Cattle: History, Myth, Art, Catherine Johns, 2011
Dogs: History, Myth, Art, Catherine Johns, 2008
Elephants, ed. Sarah Longair, 2008
The horse: from Arabia to Royal Ascot, John Curtis & Nigel Tallis, 2012

Horses: History, Myth, Art, Catherine Johns, 2006
Little Book of Cats, 2008

CERÁMICA
10,000 Years of Pottery, Emmanuel Cooper, Reissue 2010
The Art of Worcester Porcelain, Aileen Dawson, 2007
Blue & White: Chinese Porcelain around the World, John Carswell, 2007
Chinese Ceramics: Highlights of the Sir Percival David Collection, Regina Krahl & Jessica Harrison-Hall, 2009
Chinese Pottery and Porcelain, Shelagh Vainker, 2005
English and Irish Delftware 1570–1840, Aileen Dawson, 2010
French Porcelain, Aileen Dawson, 2000
Greek Vases, Dyfri Williams, 1999
Islamic Tiles, Venetia Porter, 2005
Iznik Pottery, John Carswell, 2006
Ming Ceramics in the British Museum, Jessica Harrison-Hall, 2001

CONSERVACIÓN Y CIENCIA
Earthly Remains: The History and Science of Preserved Human Bodies, Andrew T. Chamberlain & Michael Parker Pearson, 2004
Making Faces: Using Forensic and Archaeological Evidence, John Prag & Richard Neave, 1999
Porcelain Repair and Restoration: A Handbook, Nigel Williams, rev. L. Hogan & M. Bruce-Mitford, 2002
Radiocarbon Dating, Sheridan Bowman, 1990
Science and the Past, ed. Sheridan Bowman, 1991

DINERO Y MEDALLAS
Angels and Ducats: Shakespeare's Money and Medals, Barrie Cook, 2012
Badges, Philip Attwood, 2004
Money: A History, ed. Catherine Eagleton & Jonathan Williams, 2007

ESCRITURA
Reading the Past series
Arabic Calligraphy: Naskh Script for Beginners, Mustafa Ja'far, 2008
The British Museum Book of Egyptian Hieroglyphs, Neal Spencer & Claire Thorne, 2003
Chinese Calligraphy: Standard Script for Beginners, Qu Lei Lei, 2007
How to Read Egyptian Hieroglyphs: A step-by-step guide to teach yourself, Mark Collier & Bill Manley, 2006
Write Your Own Egyptian Hieroglyphs, Angela McDonald, 2007

ESCULTURA
Assyrian Palace Sculptures, Paul Collins, 2008
Assyrian Sculpture, Julian Reade, 2007
The Elgin Marbles, Brian Cook, 2008
Greek Architecture and its Sculpture, Ian Jenkins, 2006
The Parthenon Frieze, Ian Jenkins, 2008
The Parthenon Sculptures, Ian Jenkins, 2007

JOYAS
7000 Years of Jewellery, ed. Hugh Tait, 2008
Gold, Susan La Niece, 2009
Jewellery in the Age of Queen Victoria, Charlotte Gere & Judy Rudoe, 2010
Silver, Philippa Merriman, 2009

MITOS
Aztec and Maya Myths, Karl Taube, 2002
Bengali Myths, T. Richard Blurton, 2007
Celtic Myths, Miranda Green, 2003
Chinese Myths, Anne Birrell, 2000
Egyptian Myths, George Hart, 2008
Etruscan Myths, Larissa Bonfante & Judith Swaddling, 2006
Greek Myths, Lucilla Burn, 2006
Hindu Myths, A.L. Dallapiccola, 2007
Inca Myths, Gary Urton, 1999
Mesopotamian Myths, Henrietta McCall, 2008
Persian Myths, Vesta Sarkhosh Curtis, 2006
Roman Myths, Jane F. Gardner, 2008
The Story of Bacchus, Andrew Dalby, 2005
The Story of Venus, Andrew Dalby, 2005
World of Myths: Vol. 1, Marina Warner, 2005
World of Myths: Vol. 2, Felipe Fernández-Armesto, 2004

TEJIDOS
5000 Years of Textiles, ed. Jennifer Harris, 2006
Chinese Silk: A Cultural History, Shelagh Vainker, 2004
Embroiderers, Kay Staniland, 2006
Embroidery from Afghanistan, Sheila Paine, 2006
Embroidery from India and Pakistan, Sheila Paine, 2006
Embroidery from Palestine, Shelagh Weir, 2006
Indigo, Jenny Balfour-Paul, 1998
Miao Textiles from China, Gina Corrigan, 2006
Nomadic Felts, Stephanie Bunn, 2010
Printed and Dyed Textiles from Africa, John Gillow, 2001
Silk in Africa, Christopher Spring & Julie Hudson, 2002
Textiles from the Andes, Penny Dransart & Helen Wolfe, 2011
Textiles from the Balkans, Diane Weller, 2010
Textiles from Guatemala, Ann Hecht, 2001
Textiles from Mexico, Chloë Sayer, 2002
Thai Textiles, Susan Conway, 2001
World Textiles: A Sourcebook, Chloë Sayer et al, 2011

TIEMPO
Clocks, David Thompson, 2008
Watches, David Thompson, 2008

VIDRIO
5000 Years of Glass, ed. Hugh Tait, 2000
Glass: a short history, David Whitehouse, 2012
The Portland Vase, Susan Walker, 2004

Números de registro del Museo Británico

Prefacio del director
Página
6 EA 24
7 EA 10016/1
8 PE 1934,1214.2
9 AOA Af2002 10.1
10 PD 1895,0122.714
11 ASIA 1980,0325.1-2
12 PD 1910,0212.105
13 EA 29472
14 AOA Oc1941,0.14
15 ME SL MathInstr.54
16 PD 1888,0215.38
17 ASIA 1993,0301.1
18 ME 1856,0623.5
19 PD 1973,U.941
20 ASIA 1903,0408.1
21 PE 1867,0120.1
22 PE 1958,1007.1
23 GR 1999,0426.1
24 AOA Am,SLMisc.1368
25 PE 2002,0904.1
26 PE 1896,0727.1
27 AOA 1939.Af34.1
28 PE 1994,0408.33
29 AOA 1878,1101.48
30 EA 10016/1
31 PD 1868,0808.6554

1 Visiones de la divinidad
32 PE Palart.550
33 ME 1856,0623.5
34 ASIA 1880,0709.57
35 PE 1988,0411.1
36 PE 1965,0409.1
37 ASIA 1929,1104.1
38 PD 1894,0721.1
39 ASIA 1830,0612.4
40 ME 2003,0718.1
41 ASIA 1872,0701.75
42 ASIA 1900,0209.1
43 PE Waddesdon Bequest 67
44 ASIA 1963,0722.1
45 AOA Am1944,2.145
46 PD 1995,0506.7
47 GR 1825,0613.1
48 ASIA 1987,0314.1
49 GR 1917,0701.233
50 AOA Am1977,Q.3
51 ME 116624
52 AOA Oc,LMS.19
53 ASIA 2004,0401.1
54 AOA 1854,1229.89
55 ASIA 1950,1115.1
56 PD 1895,0915.518
57 AOA 1842,0611.2
58 GR 1958,0418.1
59 AOA 1839,0426.8
60 GR 1989,0130.1
61 AOA Am,St.536
62 PE 1993,0401.1
63 ASIA 1872,0701.60
64 ASIA 1938,0715.1
65 AOA 1869,1005.1

2 Indumentaria
66 ME 1888,0719.101
67 AOA Oc+5897
68 AOA Oc+5897
69 PE 1836,0902.1
70 ME 1908,0417.1
71 PE 2001,0901.1-10
72 EA 74713
73 GR 1892,0520.8
74 ME 1952,0404.1
75 ME 1888,0719.101
76 AOA 1900,0517.1
77 PE 1951,0402.2
78 ME 124017
79 PE 1939,1010.4-5
80 AOA Am1939,22.1
81 PE 1953,0208.1

3 Gobernantes
82 PE 1831,0101.1
83 AOA 1897,1011.1
84 EA 37996
85 EA 19
86 AOA 1897,1011.1
87 AOA Af1988,12.1
88 CM 1930,0607.1
89 OA 1920,0917.2
90 PE 1831,0101.1
91 AOA 1886-317
92 GR 1872,0515.1
93 GR 1911,0901.1
94 ME 124091
95 ME 1939,1010.93
96 PE 1848,1103.1
97 CM G3,NapM.9
98 CM R.244
99 CM M.6903
100 ASIA 1920,0713.1
101 AOA 1909,1210.1
102 ME 1939,0613.101
103 GR 1867,0507.484

4 Violencia y guerra
104 ASIA 13545
105 GR 1836,0224.127
106 PE 1994,1003.1
107 ASIA 1979,0703.1
108 PD 1932,0709.1
109 ME 1866,1030.1
110 EA 5473
111 ASIA 13545
112 GR 1836,0224.127
113 GR 1824,0407.32
114 PE 1814,0705.1
115 PE 2005,1204.1
116 ME 1853,0315.1
117 AOA 1899,1213.2
118 ASIA 1937,0416.218
119 ASIA 1878,1101.450
120 ME 1885,1113.9069
121 PE 1841,0624.1
122 PE 1857,0715.1
123 GR 1946,0514.1
124 PD 1860,0616.99
125 AOA Af2002,01.1

5 Criaturas mitológicas
126 AOA Am1894,-.634
127 ASIA HG.371
128 EA 1770
129 AOA 1905,0525.6
130 AOA 1931,1123.1
131 ME 1850,1228.2
132 AOA Am1894,-.634
133 PE 1938,0202.1
134 ASIA HG.371
135 ASIA 1957,0501.1
136 PE 1986,0603.1
137 PD 1895,0122.264
138 PD 1954,0508.13
139 PE 1913,0619.38
140 GR 1848,1020.1
141 AOA 1843,0710.11

6 La muerte
142 EA 48001
143 PE 1893,1228.17
144 EA 48001
145 GR 1847,1220.232
146 PE SLMisc.2010
147 AOA Am,St.401
148 EA 171
149 ASIA Franks.2210
150 ASIA 1937,0416.188
151 PE 1893,1228.15-17
152 EA 10541
153 ASIA 1917,1106.1
154 EA 37977
155 GR 1887,0402.1
156 ASIA 1920,0317.2
157 ASIA 1936,1012.229
158 ME 1850,1127.1
159 AOA Oc,TAH.78
160 ME 130880
161 ME 1975,0415.1

7 Animales
162 PE +8164
163 PD 1866,0407.12
164 EA 74
165 ME 1830,0612.1
166 EA 64391
167 GR 1805,0703.8
168 PD 1868,0822.881
169 PD 1913,0415.181
170 ASIA 1955,1008.095
171 ASIA 2006,0424.1
172 ME 1856,0909.16
173 GR 1859,1226.24
174 CM 1949,0411.421
175 GR East Pediment, O
176 PE +8164
177 ASIA 1928,1022.117
178 PD 1949,0411.3650
179 GR 1864,1021.2
180 PD SL,5275.61
181 AOA Am,S.266
182 PE 1861,1024.1
183 GR 1966,0328.1
184 ME 1912,0716.1
185 ME 1966,0703.1
186 ASIA 1948,0410.072
187 PD 1866,0407.12
188 ME 1929,1017.1
189 PE Palart.551

8 La palabra
190 ME 1975,0415.1
191 PE 1986,1001.64
192 ME 140852
193 ME 1949,0409.86
194 EA 24
195 ASIA 1880.21
196 PE 1986,1001.64
197 AOA 1902.0308.1
198 ASIA 1912,0507.1; 1947,0416.5; 3
199 AOA Am1930,F.1
200 ME 90920
201 EA 117
202 ME K.3375
203 1865,0218.2
204 CM 1879,0709.9
205 CM 1942,0805.1

9 Comida y bebida
206 PE 2002,0904.1
207 PE 1929,0511.1
208 PE 1991,0702.1
209 PE 1929,0511.1
210 PD 1868,0822.1595
211 PE 2005,0604.1-2
212 PE 1892,0501.1
213 PE 2003,0501.1
214 ASIA 1977,0404.1
215 PE 1975,1002.1-28
216 PE 1992,0614.1-26
217 ASIA 1999,0302.1
218 ASIA 1955,1024.1
219 PE 1958,1202.1
220 ME 1866,1229.61
221 ASIA 1936,1012.153a-c
222 GR 2004,0927.1
223 PE 1981,1201.1
224 ASIA 1980,0327.1
225 PE 1866,1229.2
226 PE 1856,1222.1
227 PE 1946,1007.1

10 La forma humana
228 GR 1805,0703.43
229 ASIA +7105
230 ME 126492
231 PD 1926,1009.1
232 PD 1893,0731.21
233 AOA Af1963,14.1
234 GR 1971,0521.1
235 ASIA +7105
236 ASIA 1885,1227.98
237 ASIA 1922,0630.011
238 PD 1977,0402.1
239 EA 10
240 PD 1968,0210.25
241 ASIA 1909,0618.53
242 GR 1805,0703.43
243 ME 1931,0711.1
244 ASIA 1915,0515.1
245 GR 1760,0919.1
246 EA 21810
247 PE 1911,1208.5
248 PD 1996,0216.3
249 GR 1864,0220.1

11 El poder de los objetos
250 GR 1905,1021.13
251 ASIA 1937,0710.0147
252 AOA Oc1978,Q.839
253 PD 1906,0509.1.12
254 ME 1923,1009.378
255 GR 1905,1021.13
256 AOA 1859,1228.201
257 PE 1963,1002.1
258 CM CIB.12433
259 CM RPK,p146B.1
260 PE 1857,1116.1
261 PE 1982,0702.1
262 PD 1985,0505.1
263 ASIA 1937,0710.0147
264 ASIA 1937,0416.140
265 PD 1958,0712.400
266 PD 1848,0721.43
267 PD 1856,0209.417
268 ME 118885
269 ME 121201
270 GR 1945,0927.1
271 PE 1786,0527.1
272 PE 1855,1201.8
273 GR 1899,0219.1
274 AOA Am,1898,-1
275 PE 1942,0506.1
276 GR 1868,0512.1
277 GR 1874,0131.5
278 PE Palart.550
279 PE 1934,1214.83

Índice